La Gaspésie

de Miguasha à Percé

Itinéraire culturel

Paul-Louis Martin et Gilles Rousseau

Collection des Guides pratiques
Série Itinéraires culturels
La Documentation québécoise
Ministère des Communications

Librairie Beauchemin / Éditeur officiel du Québec
Québec, juin 1978

Cet ouvrage a été publié sous la direction
de Pierrette Fortin.

Groupe de recherches en histoire du Québec rural,
à Saint-André-de-Kamouraska:

Ethnohistoire:
Paul-Louis Martin et Pierre Rastoul

Botanique et zoologie:
Alain Ross

Géographie:
Gilles Rousseau

Illustrations:
Alain Ross

Photographie:
Pierre Rastoul et Gilles Rousseau

Dépôt légal — 2e trimestre 1978
Bibliothèque nationale du Québec
ISBN 0-7754-2997-X

Table des matières

foyers de rayonnement
de Miguasha à Percé

foyer 1: **de Miguasha à New Richmond**
foyer 2: **de Caplan à New Carlisle**
foyer 3: **de Paspébiac à Saint-Godefroy**
foyer 4: **de Shigawake à Petit-Pabos**
foyer 5: **de Grande-Rivière à Percé**
foyer 6: **de Coin-du-Banc à Douglastown**

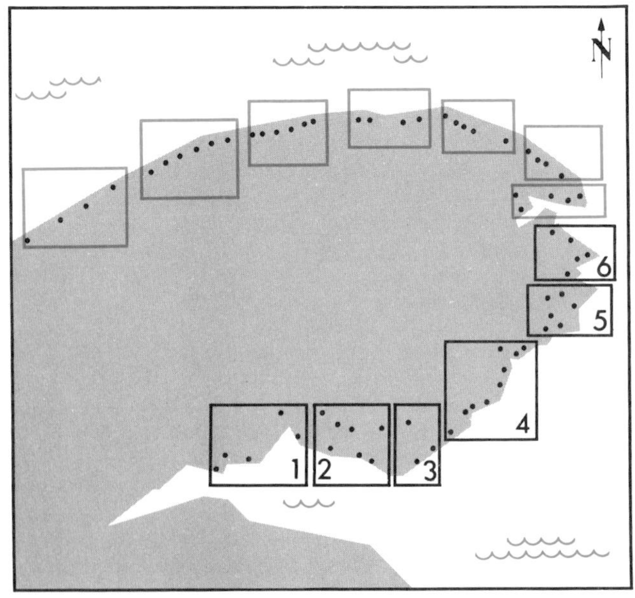

☐ Foyers décrits dans un premier volume: *De Grosses-Roches à Gaspé*.

Avant-propos

Aucun doute, la Gaspésie est un pays. Un pays dans un pays. D'abord elle nous paraît au bout du monde, du monde familier qui nous entoure et nous circonscrit au milieu de cette vallée laurentienne que l'on croit être le coeur du Québec. Ensuite son paysage naturel diffère tellement du nôtre qu'en y mettant les pieds on croit débarquer sur une île étrange où nos points de référence ne tiennent plus, où notre intelligence des choses et des gens tend à s'embrumer.

Ce n'est pas la Chine, non, loin de là, et pourtant nous avons ce premier réflexe d'aller nous entasser entre touristes aux mêmes lieux, sur les mêmes routes, d'aller «voir» les mêmes phénomènes. Un autre réflexe nous pousse à croire, et de plus en plus fortement, que voyager peut apporter plus que lieux communs, qu'oubli passager et . . . photographies. Si voyager s'appelait «connaître», si voyager s'appelait «comprendre», par où commencerait-on? Réponse: par le compagnon de route que voici.

Un outil pour lire le paysage

Puisque le voyage implique le déplacement physique du lieu d'origine à celui du séjour, il importe de connaître ce nouveau milieu de vie. D'aucuns diraient avec raison qu'il faut d'abord connaître son propre milieu; prenons donc ce fait comme acquis. Qu'en est-il alors du point d'arrivée? Le volume que vous tenez en main rassemble des données pertinentes sur l'espace géographique, sur le milieu naturel original et enfin sur les solutions de vie que les occupants successifs ont apportées. Rien de plus.

C'est un compagnon de route qui décrit le paysage, explique le pourquoi des phénomènes, le comment des choses visibles. Il plonge loin en arrière pour mieux saisir la réalité palpable d'aujourd'hui. Si on admet que le premier contact avec un pays est avant tout physique, concret, visuel, bref sensible, eh! bien, ce compagnon existe pour l'établir et l'approfondir. Rien de moins. La suite du voyage vous appartient.

Comment utiliser au mieux ce petit volume? Vous pouvez, bien sûr, le lire d'un seul trait, histoire de casser la glace, de piquer la curiosité. La bibliographie renvoie à des sujets qui n'ont pu être abordés ou approfondis et la bibliothèque publique près de chez vous les possède sûrement.

Déjà, vous aurez noté que le territoire a été divisé en «foyers» de rayonnement, dont six dans la baie des Chaleurs et sept sur la rive nord. Ils correspondent à des zones naturelles différentes ou à des milieux culturels particuliers. À partir de ces foyers et bien sûr en fonction de vos intérêts, du temps de votre séjour, etc., vous pouvez prévoir vos activités. Quelques suggestions: une des façons très agréable de jouir du pays exige d'y prendre son temps, de vous rendre hors de la route fréquentée et, laissant là votre voiture, d'inventer vos circuits à bicyclette ou à pied. Muni de cartes topographiques dont vous trouverez la liste en annexe, vous découvrirez des merveilles, des chemins qui longent les splendides rivières, des rangs en cul-de-sac, des vallées, des ruisseaux à truite. Réinventez l'art du pique-nique qui s'est presque perdu, celui du dessin et de l'aquarelle dont les enfants raffolent, celui de la pêche en ruisseau que permet à volonté un équipement sommaire et peu encombrant. Prenez le temps de flâner sur ces longs barachois, d'aller marchander votre poisson frais chez le pêcheur, voire de l'attraper vous-même au soleil couchant sur les grèves, comme le font les résidents. Un filet de plie sur le charbon, arrosé d'une bouteille de blanc . . . Trouvez le temps d'identifier les fleurs, la faune marine, les oiseaux; d'aller marcher dans les villages, tôt le matin ou en début de soirée, quand le calme se prête aux rencontres, à la conversation; nous sommes «en visite», ne l'oublions pas, les Gaspésiens ont horreur des groupes bruyants qui les envahissent, les embarrassent et se croient chez eux partout. En revanche, ils apprécient le savoir-vivre et le renseignement qu'on demande, le droit de passage qu'on sollicite donne souvent lieu à une sympathie partagée, à des échanges précieux qui font la richesse du voyage.

Bon séjour.

Esquisse du milieu et des hommes

La Gaspésie, de Miguasha à Percé

Étrange pays! Éloigné et isolé de la vallée du Saint-Laurent où nos égoïsmes nous ont concentrés depuis plus de trois siècles et d'où nous avons classé sous étiquette plus ou moins marginale les franges de vie et les îlots excentriques. À tort, bien sûr, puisque nous découvrons depuis trente ou quarante ans seulement la riche personnalité culturelle de ces communautés, le patrimoine différent qu'elles offrent au fonds commun et l'étendue des liens qu'il presse de tisser: les gens de la côte nord, de la Gaspésie, du Saguenay, du Nord-Ouest ne sont pas des exilés. Ils ont fait, ils font encore l'oeuvre de bâtir; et si nous ignorons quelle chambre de notre vaste maison ils occupent, c'est parce que trop de portes sont trop longtemps restées closes.

Dans les pages qui suivent nous tentons de vous ouvrir quelques portes, du milieu physique d'abord, puis celle des premiers résidents et de leurs successeurs. Et toujours dans la perspective d'un paysage naturel ou culturel qui se décode, se déchiffre, se comprend comme une phrase, du siège de votre voiture ou, encore mieux, de la selle de votre vélo. Car il faut prendre le temps de voyager, pour regarder, pour toucher, pour comparer. Voyager n'est pas oublier, mais connaître et assimiler des expériences.

La formation du paysage gaspésien

Voyager c'est connaître, et nous vous proposons dans ces quelques pages une initiation à la lecture du paysage physique. Les roches contiennent des messages, elles portent la mémoire des événements qui les ont constituées. Les géologues sont les interprètes de ces messages, mais, ne paniquons pas devant les termes, nous pouvons, nous aussi, y comprendre quelque chose. La forme superficielle des terrains porte aussi la trace des agents qui l'ont modelée, tout en reflétant la nature du sous-sol. Les géomorphologues nous fournissent des clés qui peuvent nous ouvrir à la compréhension de ces paysages.

Considéré à l'échelle d'une vie d'homme ou même à l'échelle de l'histoire du Québec, le paysage physique nous paraît immuable. Seules les activités humaines semblent le modifier: nous creusons des trous, nivelons des collines, abaissons des falaises rocheuses, construisons des barrages qui retiennent d'immenses lacs, détournons des cours d'eau, fouillons l'intérieur de la terre . . . Cependant, d'elle-même, la terre semble inerte. Oh, bien sûr, des tremblements de terre nous font quelquefois frémir, des glissements de terrain emportent routes et maisons, les ports s'ensablent, des pans de roche tombent à la mer, des rivières débordent de leur lit et recouvrent les platins de leurs alluvions. Cependant, ces phénomènes ne sont rien à côté des événements qui se sont produits à l'échelle des temps géologiques et qui ont permis à l'espace gaspésien d'émerger des eaux et de se modeler en une presqu'île montagneuse.

L'histoire géologique de la Gaspésie s'inscrit d'ailleurs dans la grande histoire des Appalaches, cette longue formation rocheuse qui borde le continent nord américain entre l'île de Terre-Neuve et le nord de l'Alabama aux États-Unis. Si, par un effort d'imagimation, nous concentrions en quelques jours les événements qui se sont produits durant les 600 derniers millions d'années, un peu comme ces films qui déroulent en quelques minutes toutes les étapes de la croissance d'une plante, cet espace d'apparence si calme s'animerait de façon spectaculaire. L'agitation qui s'emparerait alors de ces terrains pourrait se comparer à la surface de la mer un jour de grande tempête.

L'histoire commence il ya environ 600 millions d'années. Une partie du Québec, qui correspond en gros à la rive nord du Saint-Laurent, est alors émergée, au sud-est un bras de mer pénètre profondément à l'intérieur du continent américain à la place des Appalaches actuelles, c'est le *géosynclinal appalachien* ou *fosse de Notre-Dame*. Des sédiments provenant de l'érosion des terres émergées environnantes viennent s'accumuler dans le fond de cette mer. Sous le poids de ces matières nouvelles, la fosse continue à s'enfoncer si bien que des milliers de pieds de sédiments finissent par s'y accumuler. La pression fait durcir les couches profondes qui deviennent des *roches sédimentaires*. Occasionnellement des volcans sous-marins injectent des laves en fusion à travers ces roches.

À peu près 150 millions d'années plus tard, des pressions venant du sud-est tendent à comprimer l'espace occupé par le géosynclinal contre le bouclier au nord-ouest. Les roches se plissent, se soulèvent, se cassent et même se chevauchent. Des montagnes allongées selon l'orientation générale de la péninsule s'élèvent au-dessus de la mer. En quelques endroits, des volcans, profitant des cassures dans la croûte, viennent s'épancher en surface. Des bras de mer s'allongent entre ces nouvelles montagnes soumises à l'érosion. Des sédiments s'y accumulent et deviennent à leur tour des roches sédimentaires jusqu'à ce que, 80 millions d'années après, un dernier grand effort de plissement vienne affecter tout l'ensemble.

À la fin de la dernière glaciation, la fonte des masses de glace laissa sur la roche de fond une couche de dépôts meubles constituée d'argile, de sable, de gravier et de blocs rocheux. Cette sablière nous fait voir une coupe à travers ces dépôts; ici ils sont bien stratifiés, signe qu'ils ont été mis en place dans un milieu marin.

Lorsqu'au carbonifère, il y a quelque 340 millions d'années, se déposent les dernières roches sédimentaires, la mer s'est retirée définitivement. Ces grès et conglomérats de couleur rouge ocre, caractéristiques des falaises littorales de la baie des Chaleurs, proviennent de l'érosion des montagnes et des collines et de l'accumulation des sédiments dans des bassins intérieurs d'eau douce.

Par la suite, la région entière se soulève lentement au-dessus de la mer, permettant à l'érosion de modeler les surfaces et de creuser les bassins hydrographiques, y compris le fleuve Saint-Laurent. À cette époque commence à se dessiner le contour des terres actuellement émergées. Durant environ 300 millions d'années, c'est le calme relatif, seuls les processus d'érosion s'activent au gré du soulèvement lent de l'ensemble. Mais certaines roches résistent mieux, elles restent en surplomb, alors que les zones de failles et de cassures, les zones faibles, offrent des roches faciles à déloger. Les paysages s'individualisent, des terroirs se modèlent.

Un dernier événement vient mettre la touche finale. La dernière glaciation — trois autres l'avaient précédée depuis un million d'années — est venue polir, raboter les angles du paysage. En Gaspésie, le phénomène n'a pas été aussi agressif que sur la côte nord du Saint-Laurent ou ailleurs au Québec. Un refroidissement du climat, survenu il y a quelque 60 000 ans, avait entraîné l'accumulation de neige puis de glace dans le nord du Québec. Progressivement, la masse plastique s'était étendue pour finalement atteindre la vallée du Saint-Laurent, envahir les Appalaches et progresser jusqu'à l'Atlantique. Il semble qu'en Gaspésie le glacier se soit buté à la haute falaise qui borde la rive nord et à un glacier local qui s'alimentait en neige et en glace sur les hautes terres des Chic-Chocs. Au maximum de la glaciation, 18 000 ans passés, tout le plateau est recouvert de glace, excepté peut-être les plus hauts sommets. Par la suite, le climat se réchauffe de nouveau, non sans quelques hésitations, et la glace se met à fondre.

Se produit alors un phénomène aux conséquences déterminantes sur l'occupation humaine de la frange littorale. À mesure que le glacier recule, la mer envahit le rivage des terres qui se sont affaissées sous le poids de la grande calotte glaciaire, de sorte qu'à son maximum, il y a environ 14 000 ans, la *mer de Goldtwaïth* noie des terres qui sont actuellement à 60 mètres au-dessus du niveau de l'eau. Cependant, les terres gaspésiennes, soulagées de leur poids de glace, se soulèvent lentement et l'eau regagne progressivement son niveau actuel, non sans avoir laissé des sédiments et modelé des terrasses.

Voilà! Tout est prêt pour l'arrivée de l'homme; dès le retrait du glacier, la flore et la faune ont déjà pris possession de ces nouvelles terres.

Les Amérindiens en Gaspésie

Au début de l'été 1534, lorsque Jacques Cartier pénétra dans la baie des Chaleurs, il fut littéralement assailli par deux groupes de Micmacs. Dans l'intention manifeste d'établir un contact et d'effectuer des échanges de biens, ces Amérindiens interpellaient les occupants des navires français et leur montraient des fourrures. D'après Bruce Trigger, ce comportement indique qu'ils avaient déjà, avant l'arrivée de Cartier, établi des relations commerciales avec les Européens. Les pêcheurs basques et bretons fréquentaient déjà depuis longtemps le golfe Saint-Laurent lorsque Cartier «découvrit» le Canada; de toute évidence, les Indiens avaient trappé pendant l'hiver et avaient apporté leurs fourrures sur la côte dans l'espoir de les échanger aux Européens de passage.

Puis, le 16 juillet 1534, au retour de son expédition dans la baie des Chaleurs, Cartier pénètre dans la baie de Gaspé. Un groupe de 300 Amérindiens occupait déjà les lieux. Le contact est alors plus difficile. En effet, à la première rencontre, seuls les hommes accueillirent Cartier, les femmes s'étant retirées dans les bois; mais, peu à peu, les petits cadeaux que leur offrent les Européens finissent par avoir raison de leur méfiance. Visiblement, ces Amérindiens en sont à leurs premières armes face aux Européens. Contrairement aux Micmacs de la baie des Chaleurs, les Indiens de la baie de Gaspé n'ont pas de fourrures à échanger: leurs canots et leurs filets de pêche semblent leurs seules possessions.

D'après leur langage et la description de leurs costumes, ces gens étaient des *Iroquois* de la vallée du Saint-Laurent; ils habitaient Stadacona (Québec) et quelques villages environnants où ils cultivaient le maïs. En été, ils venaient par groupes d'une centaine, quittant leurs villages et descendant le fleuve pour pêcher dans l'estuaire et le golfe. «*Cependant,* écrit Cartier, *nous vîmes une grande multitude d'hommes sauvages qui pêchaient des tombes* (maquereau?), *desquels il y a grande quantité; ils étaient environ quarante barques, et, tant en hommes, femmes qu'enfants, plus de deux cents, lesquels, après qu'ils eurent conversé en terre avec nous, venaient privément au bord de nos navires avec leurs barques (. . .) Ils n'ont autre demeure que dessous ces barques, lesquelles ils renversent et s'étendent sous icelles, sur la terre sans aucune couverture*[1].»

Au XVIIe siècle, l'hostilité entre les Micmacs et les Iroquois se manifesta dans des guerres sanglantes, d'où sont nées bien des légendes. Mais vers 1600, les Iroquois s'évanouissent du paysage, pour disparaître complètement de la vallée du Saint-Laurent. Les Iroquois, selon Cartier, nommaient la péninsule gaspésienne *Honguedo,* et c'est ainsi qu'on nomma le territoire jusque vers 1584; puis les Micmacs évincèrent leurs rivaux et, dès lors, la Gaspésie trouva son nom. Champlain nommait l'endroit *Gachepé*, et d'autres avant lui, dès 1599, écrivent déjà des variantes du mot Gaspé pour désigner la péninsule; le terme proviendrait du mot micmac *Gespeg,* qui signifie «fin des terres».

Pendant la période des premiers contacts entre Amérindiens et Européens, d'autres groupes ont fréquenté la péninsule gaspésienne. L'un de ces groupes était constitué par des *Montagnais* de la côte nord du Saint-Laurent, qui traversaient occasionnellement le fleuve en hiver pour venir chasser dans les territoires giboyeux du nord de la Gaspésie. En 1884, les gens de Cloridorme furent témoins d'une de ces migrations saisonnières: «*En 1884, au mois de septembre, une flottille de huit canots d'écorce montés par seize sauvages et sauvagesses firent en remontant le fleuve escale à Petit-Cloridorme. On dit que c'étaient des Montagnais*

---

1 J.-Camille POULIOT, la Grande Aventure de Jacques Cartier, p. 39.

de Restigouche en route pour un hivernage dans les monts Chic-Chocs. Ils établirent leurs wigwams à l'ouest de l'école et y demeurèrent une dizaine de jours. Ils vendaient différents articles de leur fabrication et de la gomme d'épinette pour mâcher[2].»

Des informations d'un tout autre ordre font état de la présence d'Amérindiens sur la côte nord gaspésienne à des époques fort reculées. En 1968, l'abbé Roland Provost signalait la présence d'outils en pierre taillée sur les terrasses marines accrochées de chaque côté de l'embouchure de la rivière à la Martre. La présence de ces vestiges d'activités humaines sur des terrasses élevées suggérait déjà leur grande ancienneté. L'année suivante, une équipe d'archéologues entreprit la fouille systématique de petites sections du site. Une quantité impressionnante d'objets de pierre taillée, suffisamment pour remplir une cinquantaine de caisses, furent retirés du sol qui les avait recouverts au cours des millénaires. Malheureusement, il restait peu de traces des structures d'habitation: les défrichements et les labours répétés les avaient pratiquement effacées, et seuls la localisation des objets de pierre taillée et des restes de foyers pouvaient fournir des indices sur l'occupation du site. Les restes d'aliments, tels les os, avaient complètement été éliminés à cause de l'acidité élevée des sols gaspésiens.

Il est intéressant de noter que la majorité des outils de pierre trouvés dans le site ont été manufacturés sur place, à partir du *chert,* une matière première qui affleure dans les collines environnantes. Ce fut le cas, d'ailleurs, pour la plupart des sites anciens découverts sur la côte. À partir de cette matière première, les Amérindiens de La Martre fabriquèrent, à l'aide de percuteurs également en pierre, une grande quantité d'outils: grattoirs, pointes de lance et divers outils servant à couper. Une pointe et quelques outils brisés parmi ceux qu'on a retrouvés à La Martre devaient soulever de nouvelles questions: fabriqués selon une technique de pres-

---

2 Le SCELLEUR, «Quelques événements vécus dans la paroisse de Cloridorme», dans *Revue d'histoire de la Gaspésie,* vol. VII, no 2, (avril-juin 1969), p. 64-65.

sion très raffinée, ces outils rappellent en effet les magnifiques pointes qui armaient les lances des chasseurs des groupes *Plano*.

Cette culture s'était développée au moment où le grand glacier qui recouvrait presque en entier le Canada commençait à fondre; au sud du glacier, des chasseurs Plano poursuivaient leur existence nomade, selon des itinéraires moulés sur les déplacements des troupeaux de gros gibier et en particulier du bison géant. Progressivement, à mesure que le glacier reculait vers le nord, ces chasseurs occupèrent les terres fraîchement libérées de leur calotte de glace. Confrontée à la disparition qui affecte certaines espèces de gros gibiers, obligés de s'adapter aux différences biophysiques de leur nouveau territoire, la culture des chasseurs Plano dut évoluer dans le sens d'une économie plus complexe, basée sur des activités complémentaires de chasse, de pêche et de cueillette en accord avec les ressources saisonnières.

C'est à ce stade qu'on retrouve les occupants amérindiens des plus hautes terres gaspésiennes; ils possédaient encore dans leur bagage culturel ce mode de fabrication traditionnel des pointes finement taillées et adaptées à la chasse au gros gibier. «*La structure de leur économie ne repose plus presqu'exclusivement sur la chasse des grands mammifères; elle fait une large place à la cueillette, la pêche et la chasse des oiseaux, rongeurs et autres petits gibiers, dans un nomadisme restreint*[3].» Progressivement, donc, le mode de vie «*archaïque*» avait remplacé dans le nord-est la culture Plano.

À la fin de cette première campagne de fouilles en Gaspésie, les archéologues concluaient: «*On peut émettre l'hypothèse d'une montée par la voie du sud-est, de groupes Plano tardifs (. . .), dans la région de La Martre et de Tadoussac, suivie d'une expansion vers la côte nord-est et une adaptation à un environnement marin (. . .) Nous soulignons aussi la possibilité d'une remontée, peut-être à partir du lac Huron, le long du fleuve Saint-Laurent vers La Martre, Tadoussac et la côte Nord-Est*[4].»

---

3. S.A.P.Q., *Activités de la S.A.P.Q. 1969: Pointe-aux-Buissons, La Martre, Mandeville,* p. 78.
4 S.A.P.Q., *op. cit.,* p. 88.

Depuis cette fouille, chaque été a vu se succéder des équipes de chercheurs occupés d'abord à localiser des campements préhistoriques. Malheureusement, les travaux de défrichement et de labours, la construction des routes, l'installation des lignes électriques et même la construction des maisons, ont lourdement endommagé ces sites occupés à des époques aussi anciennes que 4 000 à 6 000 ans avant nous. À Sainte-Anne-des-Monts, Saint-Joachim-de-Tourelle, Cap-au-Renard, Grande-Vallée et ailleurs, des fouilles ont été entreprises sur des sites qui étaient encore bien conservés, ou qui étaient menacés de destruction par la construction des routes ou l'exploitation de sablières. Ces travaux conduiront bientôt à une meilleure connaissance de ces cultures préhistoriques et de leur relation avec le milieu gaspésien.

Les Amérindiens de la préhistoire ne connaissaient pas les métaux et ils taillaient leurs outils dans la pierre. À gauche, une pointe de lance très ancienne de type plano. Observez la fine retouche dite «en pelure». Au centre, un couteau. À droite, un grattoir utilisé pour dégraisser les peaux. Avec le temps, la forme des objets évolue et les assemblages d'outils mis à jour lors des fouilles permettent aux archéologues de définir des traditions et des cultures.

À l'automne de 1971, la construction d'un nouveau pont au-dessus de la rivière du cap Chat nécessita la fouille d'un site relativement récent. Sous des vestiges du XIXe siècle gisaient deux et, par endroits, trois niveaux d'occupations préhistoriques différents. La présence de charbon de bois dans les foyers encore en place sur ces sites permit d'obtenir par la méthode du *Carbone 14,* deux dates d'occupation du site: 540 et 620 de notre ère, la marge d'erreur dans de telles datations étant de ± 115 ans. En plus de nombreux outils de pierre, tels les couteaux, pointes, grattoirs et autres, le site livra des outils sur os et, chose essentielle à la connaissance du mode de vie des occupants, une quantité importante de restes osseux bien conservés.

À l'analyse, ces restes amenèrent l'archéologue Georges Barré à conclure «*que le site a été occupé de la fin de l'été au début de l'hiver par des groupes qui s'y rendaient principalement pour intercepter les migrations de caribous qui pouvaient remonter la vallée de la rivière Cap-Chat, en route vers les Chic-Chocs ou les orignaux qui se rendaient dans leurs ravages d'hiver*[5].» Selon lui, quatre hypothèses pouvaient expliquer ce comportement dans le cycle annuel des populations concernées:
«*1° Il peut s'agir d'une manifestation saisonnière d'un groupe dépendant surtout de la chasse aux gros mammifères terrestres et les suivant dans leurs déplacements.*
«*2° Ces vestiges pourraient aussi provenir des activités de groupes vivant de l'exploitation des ressources maritimes au printemps et en été et de la chasse aux mammifères terrestres en automne et en hiver*[6]. . .
«*3° Le site de Cap-Chat peut aussi avoir été occupé par des groupes exploitant la rive nord du Saint-Laurent et se rendant à cet endroit occasionnellement, en période de disette, comme c'était quelquefois le cas durant la période de contact.*
«*4° Il peut enfin s'agir d'une manifestation d'un groupe exploitant un autre type d'écosystème, plus à l'ouest, et se rendant, à la fin de l'été et à l'automne, à cet endroit favorable à la chasse aux cervidés.*»

Bref, la préhistoire de la Gaspésie soulève toujours de nombreuses questions. D'où venaient ces groupes qui ont occupé les hautes terrasses gaspésiennes, quel était précisément leur mode de vie, comment leur culture a-t-elle évolué à travers le temps? On ne sait pas non plus à quel moment les Iroquoïens de la haute vallée du Saint-Laurent ont commencé à fréquenter la Gaspésie, ni ce qu'ont pu être

---

5 Georges BARRÉ, *Cap-Chat (DgDq-1). Un site du Sylvicole moyen en Gaspésie*, annexe: *Analyse du matériel ostéologique provenant de Cap-Chat*, p. 4.

6 BARRÉ, *op. cit.*, p. 4-5.

leurs relations avec les habitants de ce territoire. Autant de questions, entre beaucoup d'autres, que la recherche archéologique à venir est susceptible de tirer au clair.

À la fin du volume, au foyer 6, un texte que nous vous invitons à lire traite de façon plus explicite de l'ethnohistoire des Micmacs.

Climat, faune et flore

«Nous nommâmes la dite baye, la «baye de Chaleur».» L'impression que les jours chauds de juillet firent sur Cartier ne doit cependant pas nous illusionner. La baie des Chaleurs fait partie de la zone tempérée moyenne, caractérisée par un climat frais et pluvieux et un hiver rigoureux. Au delà des chiffres et des graphiques, le géographe Raoul Blanchard nous a laissé sa perception de ce climat:

«Ainsi ce climat de la Gaspésie comporte un hiver de six mois, d'un bout à l'autre; sur la côte Nord, un printemps maussade, compensé heureusement par un automne clément. L'été, d'ailleurs, est humide, un peu brumeux; sur les Shick-shocks, la brume a été pour les explorateurs une gêne constante. Il reste cependant assez chaud et assez prolongé pour permettre une agriculture pas trop aléatoire, où le maïs lui-même peut s'accommoder d'emplacements favorisés. La grande ombre des six mois d'hiver n'en demeure pas moins étendue sur le pays, et c'est là un facteur qui exerce sur la vie humaine la plus forte influence, de même que sur les phénomènes d'hydrologie et de végétation[7]*.»*

L'analyse des chiffres et des graphiques confrontée aux impressions de terrain n'en permet pas moins d'affirmer les qualités du climat estival de la baie des Chaleurs à l'ouest de Port-Daniel. Le soleil s'y montre plus longtemps qu'ailleurs, d'où une température moyenne légèrement plus élevée. C'est sans doute l'influence des vents dominants d'ouest, donc d'origine continentale, qui joue ici. Ils réchauffent l'été, mais refroidissent l'hiver. En effet la face maritime, c'est-à-dire la partie ouest de la Gaspésie, est légèrement tempérée en

---

7 Raoul BLANCHARD, *l'Est du Canada français, province de Québec,* tome I, p. 30.

hiver par les vents qui passent sur le golfe, alors que le fond de la baie est plus froid. En hiver, la température de l'air est plus chaude à Percé qu'à Québec.

Dans l'ensemble, le climat de la baie pourrait se comparer à celui du comté de Kamouraska. L'hiver à Bonaventure est un peu moins froid qu'à La Pocatière, mais l'été se ressemble dans l'un et l'autre endroit, sauf que la saison de croissance, écourtée de quelques jours dans la baie, ne favorise pas les agriculteurs.

«Ce lieu donc, qui est proprement ce que nous appelons Gaspésie, ou autrement Gaspé, est un pays plein de montagnes, de bois et de rochers[8]*...»* Voilà les premières impressions que nous livre Chrestien Le Clercq dans sa *Nouvelle Relation de la Gaspésie*. Plus loin, il fait une longue énumération des animaux qui hantent les bois et les rivages. En plus de l'«orignac» et du castor qui semblent les espèces les plus importantes dans l'économie des Micmacs, il nous parle des ours, des loutres, des cerfs, des caribous, des loups, des perdrix, des canards, des outardes, des oies, des cormorans, des bécasses et bécassines, et de nombreux autres oiseaux et mammifères.

La végétation de la Gaspésie était à l'origine une vaste forêt; seuls émergeaient de cette nappe verte les surfaces dénudées des Chic-Chocs, les falaises abruptes, les barres de sable et les deltas marécageux des rivières. Sur le plateau, c'est le domaine de la sapinière à bouleau blanc. Le sapin baumier, le bouleau blanc, l'épinette blanche, le mélèze laricin et le peuplier baumier qui composent cette série climacique s'adaptent bien au climat plus frais et plus humide des hautes terres. Les plus hauts sommets des Chic-Chocs sont le domaine de la toundra alpine: les arbustes tels les saules, les bouleaux et les airelles n'y dépassent pas un pied de hauteur et, les caribous qui regagnent ces sommets en octobre se nourrissent des mousses et lichens qui recouvrent les rochers.

Le climat plus doux à influence maritime du littoral marque le domaine de la sapinière à épinette blanche. Dès qu'on

---

8 Chrestien LECLERCQ, *Nouvelle Relation de la Gaspésie...*, p. 4.

s'éloigne du rivage, les terrains sablonneux bien drainés des basses terres et des premières collines sont le domaine de l'érablière à bouleau jaune. Ces espèces exigent un bon ensoleillement et elles s'installent en retrait de la frange exposée aux influences maritimes. De magnifiques forêts de pin et de cèdre (tuya de l'est) complétaient autrefois ce domaine; surexploitées au XIXe siècle, elles ne se sont pas renouvelées et souvent elles ont fait place à des champs cultivés. Les bâtiments des Robin et Le Bouthillier de Paspébiac ont été construits avec les pins et les cèdres du bassin de la rivière Bonaventure.

Vous le constaterez lors de votre séjour en Gaspésie, les activités humaines ont profondément modifié les paysages naturels et, très souvent, créé de nouveaux équilibres harmonieux.

Des blancs venus de la mer

Quels furent les premiers blancs à toucher les rives de la Gaspésie? Longtemps on prétendit que des marins et des pêcheurs d'Europe avaient précédé les «découvertes» de Jacques Cartier, et l'histoire finit par en apporter des preuves. Mais il semble aujourd'hui que le moment des premiers contacts doive remonter jusqu'aux environs de l'an 1000 de notre ère, alors que des Vikings quittèrent l'Islande pour le Groenland.

Les sagas, recueils de légendes nordiques écrits par des moines scandinaves, apportent des témoignages troublants sinon précis sur les tentatives de plusieurs capitaines de coloniser le nouveau pays, l'Amérique, découvert plus ou moins par hasard: des érudits ont reconnu, d'après les récits nordiques, le Vinland comme étant Terre-Neuve, puis les côtes de l'est des États-Unis, jusqu'à la Virginie actuelle. Et pour donner plus de poids à ce qui hier ne semblait que légende, des fouilles archéologiques menées dans l'Ungava, au Labrador et tout récemment à Terre-Neuve (Anse aux Meadows) confirment la présence des Nordiques vers l'an 1000. En fait, des traces d'occupation, des armes retrouvées fortuitement, des inscriptions rendent indiscutable la présence des Vikings en Amérique entre 1000 et 1300, et on attribue généralement aux changements de climat et à l'hostilité des indigènes (les Skroelings) l'abandon ou la disparition de leurs quelques postes.

Mais quel rapport peut-on établir avec la Gaspésie? Outre le fait que les drakkars aux voiles carrées ont pu longer les côtes gaspésiennes, il y a la mention de l'hivernement de l'expédition de Karlsefni dans un fjord profond, vers l'an 1010. Cette baie agréable ils la nommèrent Straumfjord parce que de forts courants ceinturaient l'île qui se trouvait à son embouchure. Au moins un auteur, Davies, a voulu y reconnaître la baie des Chaleurs et, sans souscrire nécessairement à son hypothèse, nous vous en faisons part pour bien montrer que l'étude attentive des textes, associée à l'archéologie, peut encore faire avancer la connaissance que nous avons de ce lointain passé.

La seule évidence acquise est que la Gaspésie, par sa situation géographique de péninsule avancée dans le golfe, allait attirer marins ou pêcheurs croisant au large.

Au temps de Jacques Cartier

Des pêcheurs basques, normands et bretons fréquentaient les bancs de morue de Terre-Neuve depuis au moins cent ans avant que Jacques Cartier n'aborde les côtes du golfe Saint-Laurent. Mais ces pêcheurs exerçaient simplement leur métier, sans être poussés par la fièvre de l'or, des épices et des nouvelles possessions qui s'empara des royaumes d'Espagne, de Portugal et de France à la fin du XVe siècle. Aussi les indications précises et la description des terres ne furent connues qu'avec les véritables voyages de découverte. Au Vénitien Jean Cabot, en 1496, succédèrent deux Normands, Jehan Denys en 1506 et Thomas Aubert en 1508. L'un dressa l'une des premières cartes connues du golfe Saint-Laurent, le second ramena en Normandie des sauvages «qu'il fit voir avec admiration et applaudissements à la France[9]». Le fait de ramener dans la métropole ceux qu'on nomma Indiens avait valeur de preuve auprès des sceptiques et permettait au navigateur d'ajouter crédit et foi à ses expéditions; Cartier allait en user à son tour en 1534.

---

9 René Le TENNEUR, *les Normands et les origines du Canada français,* p. 30.

Jacques Cartier, navigateur malouin, sortait du havre de Saint-Malo en Bretagne avec ses deux petits navires le 20 avril 1534, muni d'une commission officielle pour «voyager, descouvrir et conquérir, à Neuve-France, ainsi que trouver, par le Nord, le passage de Cathay», c'est-à-dire la route vers la Chine. Après avoir exploré la côte nord du golfe, il longea la rive est et entra dans la baie des Chaleurs qu'il décrit ainsi:

«Icelle baye gist Est Nordest et Ouaist Surouaist, Et est la terre de devers le Su de la dite baye aussi belle que boine terre, labourable et plaine de aussi belles champaignes et prairies que nous ayons veu et unye comme un estancq; et celle devers le Nordt est une terre haulte, à montaignes, toute plaine de arbres de haulte fustaille de pluseurs sortes, et entre autres y a pluseurs cèdres et pruches aussi beaulx qu'il soiet possible de voir, pour faire mastz suffisans de mastez navires de troys cens tonneaulx et plus; en la quelle ne vysmes un seul lieu vide de bouays, fors en deux lieulx de basses terres, où il luy avoit des prairies et des estancqs moult beaux (. . .)
«Il n'y a cy petit lieu vide de bouays et fust sur sable, qui ne soit plein de blé sauvaige, qui a l'espy comme seilgle et le grain comme avoine, et poys ausssi aspez comme si on le y avoit semez et labourer, grouaiseliers blans et rouges, fraises, frambouaises et roses rouges et autres herbes de bonne et grande odeur; paroillement y a force belles prairies et bonnes herbes et estancq où il luy a force saulmons (. . .) Nous nommames la dite baye, la «baye de Chaleur[10]*».»*

Tel lui apparut le paysage qui nous retient aujourd'hui, ses deux navires mouillant durant quelques jours dans le havre de Port-Daniel. N'insistons pas sur la suite de son voyage, couronné par l'érection d'une croix sur une pointe de la baie de Gaspé, ni sur le récit des expéditions qui s'ensuivirent. Qu'il suffise de rappeler qu'avec Cartier la «baye de Chaleur», ses pointes, ses caps, ses havres appartenaient désormais à l'histoire européenne en Amérique.

---

10 POULIOT, *op. cit.*, p. 36.

Une histoire de pêche

Entre le moment de la prise de possession officielle de la Nouvelle-France et celui où des résidents s'installèrent en permanence en Gaspésie, soit pendant près de 150 ans, la péninsule ne connut que l'arrivée saisonnière de pêcheurs. Bien sûr la plupart des navires en route vers Québec relâchaient quelque peu à Percé, et surtout dans la baie de Gaspé, pour refaire provision d'eau, de bois, de poisson parfois, en attendant un vent favorable qui permette de s'engager dans les eaux du fleuve Saint-Laurent. Mais généralement les pêcheurs seuls occupaient les baies, les havres et les graves*. Baleiniers basques sur la côte nord, morutiers bretons et normands à Terre-Neuve et en Gaspésie, tous tiraient des eaux riches du golfe une manne dont le vieux continent était avide. Les besoins de l'Europe, alors en pleine Renaissance, augmentaient rapidement au rythme des guerres, des disettes et de la croissance des populations, des populations catholiques, surtout, obligées à tant de jours maigres que la «merluche» ou morue séchée trouvait auprès d'elles un marché assuré. Les pêcheurs multiplièrent donc leurs voyages sur les côtes gaspésiennes.

La morue franche est un poisson dont le poids moyen atteint une dizaine de livres; certes des spécimens de près de cent livres n'étaient pas rares, mais ils convenaient mal au séchage. Tout comme la grosse «molue» des bancs de Terre-Neuve, d'ailleurs, que les pêcheurs ramenaient salée en Europe et qu'à Paris on dégustait comme le vin nouveau. La morue se nourrit surtout de harengs, de capelans et d'encornets* qu'elle poursuit dans leurs migrations saisonnières jusqu'aux «bancs» où ils frayent.

Ces bancs sont des prolongements sous-marins des terres fermes et forment des hauts-fonds dont la profondeur varie entre 30 et 50 brasses: les plus riches et les plus fréquentés portent les noms de banc de Miscou à l'entrée de la baie des Chaleurs, banc des Américains qui s'étend de Gaspé à Cap-d'Espoir et, enfin, au large, le grand banc des Orphelins, aussi renommé que celui de Terre-Neuve.

Les grands avantages de la Gaspésie consistaient en des havres sûrs, des grèves ou graves pour faire sécher la morue, des terrasses habitables surtout pour la pêche côtière praticable à proximité des rivages. De plus les «Indiens» au naturel pacifique rendaient possible le troc des fourrures, à quoi se prêtaient volontiers les équipages. Enfin, l'automne venu, des vents d'ouest constants et forts ramenaient vite en France les précieuses cargaisons, deux ou trois fois plus rapidement que le voyage en sens inverse.

La capture des appâts pour la pêche à la morue: filets pour le hareng et turlutte pour l'encornet.
(Picturesque Canada, 1882. Archives publiques du Canada)

Pendant que le Québec sort péniblement du berceau, au milieu des conflits, des guerres, et des efforts de défrichements, une famille de commerçants français va marquer les développements de la Gaspésie. Nicolas Denys s'était établi en 1645 à Miscou, muni du droit de faire la pêche et la traite des fourrures «en la Grande Baye de St. Laurent a commancer Depuis le Cap de Canceaux jusques au Cap des Rozières . . .» Plusieurs tracasseries et rivalités l'empêchent de faire prospérer ses établissements et il se retire à Nepisiguit (Bathurst) en une maison fortifiée. En 1672, il publiera sa *Description géographique et historique des Costes de l'Amérique septentrionale,* dont on peut lire plusieurs extraits dans ce volume. Il y expose les avantages de la pêche sédentaire, c'est-à-dire faite par des pêcheurs résidents à l'année longue sur place, décrit les ressources inépuisables de la baie des Chaleurs, et surtout décrit dans le détail la technique de pêche, les installations et les procédés de conservation du poisson, tels qu'il les observe chez les pêcheurs saisonniers de Paspébiac, Port-Daniel, Percé et Gaspé.

Son neveu, Pierre Denys de La Ronde, obtient à la même époque la concession de l'île Percée et de la baie des Molues (Barachois) où il fonde les premiers postes de pêche permanents. Pour la première fois, pêcheurs, missionnaires et engagés vivent à l'année longue en Gaspésie. Malgré la destruction des établissements par les Anglais en 1690, le mouvement est donné et surgissent d'autres postes: Matane, Mont-Louis, Gaspé. Les succès prévus connaissent de nombreuses entraves: pirateries, difficultés de l'administration en raison de l'éloignement, conflits avec les pêcheurs saisonniers qui venaient encore disputer aux «locaux» les meilleures grèves, les meilleurs bancs. Si bien qu'on peut difficilement parler de prospérité avant les 30 ans de paix qui suivirent le traité de 1713 entre la France et l'Angleterre.

Dans la baie des Chaleurs, deux seigneuries s'ouvrent alors, Pabos et Grande-Rivière. Sous l'impulsion des Lefebvre de Bellefeuille, cette portion de côte se peuple peu à peu après 1730 et devient le centre vital de la baie: plus de 80 maisons et au moins 200 âmes. Lisons le commentaire que fait l'historien David Lee sur l'importance de ce noyau:

«Les registres paroissiaux révèlent, cependant, que de nombreux autres habitants d'une classe sociale moins élevée savaient écrire. Il est surprenant de constater qu'ils furent nombreux, mais il faut se rappeler que la plupart venaient de France où les normes d'éducation étaient certainement supérieures à celles du Nouveau-Monde. Nous connaissons l'origine d'une vingtaine de pêcheurs de cet endroit; presque tous étaient natifs de la Normandie et de la Bretagne. Cette classe sociale, la plus nombreuse, comprenait quelques hommes de métier, comme des menuisiers, mais se composait surtout de pêcheurs qui ne possédaient pas de chaloupe, au service du seigneur ou d'autres propriétaires d'embarcations.

Habillage de la morue sur la grève de Percé, vers 1900.
(Collection Livernois. Archives nationales du Québec)

«Nous ne savons pas si de Bellefeuille était le principal propriétaire de chaloupes ou même s'il en avait, mais il est évident qu'il était le Gaspésien le plus fortuné. On ignore tout des arrangements qu'il avait faits avec les colons qui habitaient dans sa seigneurie. Normalement, la richesse des seigneurs provenait de l'agriculture que l'on y pratiquait dans leurs concessions, mais, dans le cas de Bellefeuille, l'agriculture était réduite au minimum; en effet, le capitaine Bell a déclaré que les colons n'avaient que de

petits jardins où croissaient des navets ou du chou et ne possédaient que quelques têtes de bétail. On présume que de Bellefeuille exigeait comme droit seigneurial le onzième de la prise globale de poisson par les colons de sa concession. La location des lots de grève aux pêcheurs de passage a dû être un appréciable supplément à son revenu. Ses titres d'agent de l'intendant et de commandant ne semblent pas lui avoir apporté quoi que ce soit pécuniairement, mais ont dû accroître son prestige social.

«L'établissement de Pabos et Grande-Rivière a prospéré parce que son promoteur a toujours vécu sur place, où il pouvait diriger en personne ses affaires. Cette façon d'agir était indispensable, car seul un résident pouvait déterminer le genre d'expansion approprié aux ressources distinctes ou particulières de la Gaspésie. De plus, le succès d'une seigneurie exigeait que le propriétaire sût diriger et eût le capital voulu pour l'achat de bâtiments et de bateaux. La direction des affaires ne pouvait être assumée par un riche

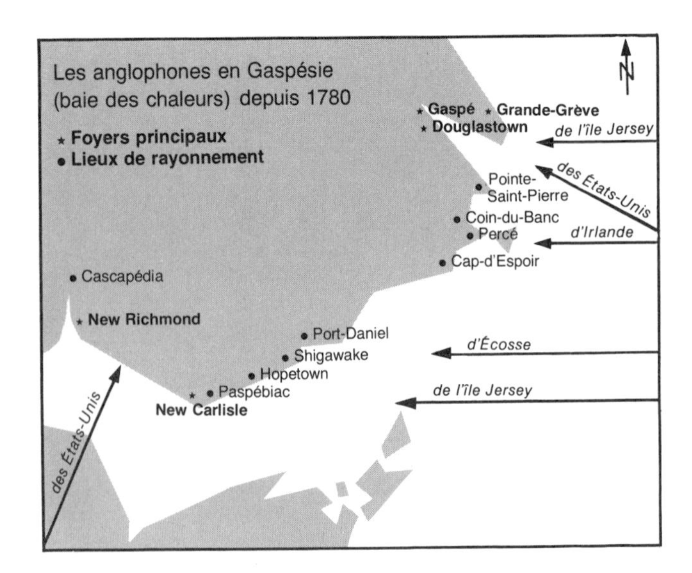

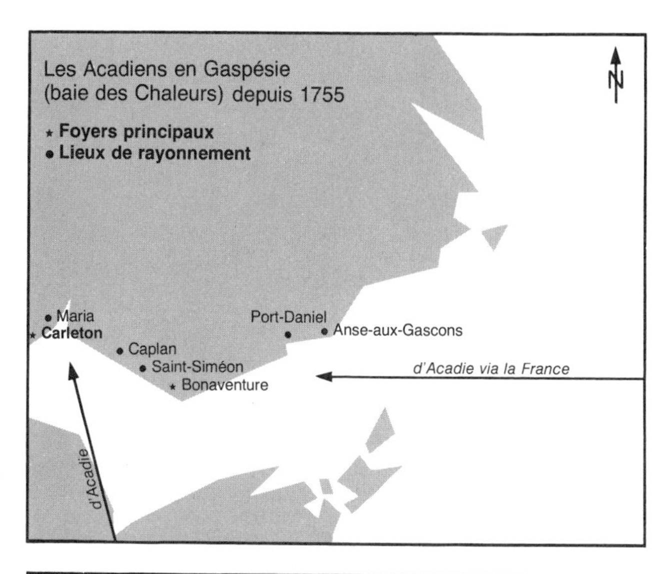
Les Acadiens en Gaspésie
(baie des Chaleurs) depuis 1755
N
★ Foyers principaux
● Lieux de rayonnement
Maria
Carleton
Caplan
Saint-Siméon
Bonaventure
Port-Daniel
Anse-aux-Gascons
d'Acadie via la France
d'Acadie

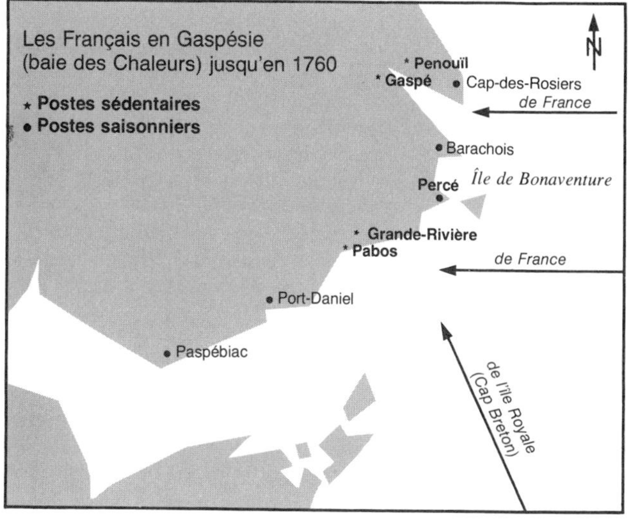
Les Français en Gaspésie
(baie des Chaleurs) jusqu'en 1760
N
★ Postes sédentaires
● Postes saisonniers
Penouïl
Gaspé
Cap-des-Rosiers
de France
Barachois
Percé
Île de Bonaventure
Grande-Rivière
Pabos
de France
Port-Daniel
Paspébiac
de l'île Royale
(Cap Breton)

seigneur de Québec ou de Trois-Rivières, ni par le gouvernement. Et rien n'indique que de Bellefeuille ait reçu une aide du gouvernement; il a dû investir ses propres fonds. Mais même si les capitaux indispensables ont pu lui être fournis par Québec et même s'il a entretenu des liens de famille au Canada, l'avenir de sa seigneurie, dès sa fondation, fut naturellement lié à l'économie de la France et à ses débouchés pour la morue. Cette situation a favorisé chez les Gaspésiens un mode de vie presque indépendant de leurs supérieurs attitrés de Québec.

«De Bellefeuille, tout comme la plupart de ses colons, vivait à Grande-Rivière, qui était hors de sa seigneurie de Pabos; néanmoins, le gouvernement ne prit aucune mesure pour l'en déloger; ce dernier s'en souciait peu ou peut-être n'en savait-il rien. Le gouvernement est même allé plus loin en accordant à de Bellefeuille des pouvoirs judiciaires et militaires applicables à un territoire beaucoup plus grand que la seigneurie. Pabos et Grande-Rivière étaient des postes isolés auxquels le gouvernement ne s'intéressait que lorsque Québec subissait la menace des Anglais. Ces postes ne reçurent aucune aide du gouvernement, mais se développèrent toutefois en un établissement beaucoup plus important que ne l'ont imaginé jusqu'ici les historiens[11]*.»*

Malheureusement, la guerre de la Conquête amena en Gaspésie les flottes militaires anglaises qui se livrèrent à l'anéantissement et à la destruction de tous les établissements humains qu'ils purent trouver, de Pabos à Gaspé, et de Forillon à Matane. Tout fut détruit, les habitants furent chassés dans les bois, les biens saisis, «sans qu'on ajoute beaucoup de gloire au renom de Sa Majesté», écrira un capitaine de Wolfe.

Ainsi dépouillée, la Gaspésie, et particulièrement la baie des Chaleurs, se retrouvait lors du traité de Paris avec une population résidente d'environ cent cinquante personnes qui réussirent tant bien que mal à reconstruire leurs habitations. Cette population composée de Bretons, de Normands et

---

11 David LEE, *les Français en Gaspésie, de 1534 à 1760,* p. 60.

de quelques Basques, donc une mosaïque ethnique, allait accueillir d'autres arrivants, victimes aussi des guerres impériales: les Acadiens, puis les loyalistes.

Terre de refuge

L'histoire des Acadiens, de leur dépossession et de leur déportation en Louisiane, en France et ailleurs, fait encore l'objet de recherches actives. Plusieurs familles traversèrent au Québec et des membres tragiquement séparés se retrouvèrent plus tard dans la vallée du Saint-Laurent après avoir connu l'exil. Expulsé de Beaubassin, un petit groupe

La falaise monochrome et les barachois aux plages sablonneuses marquent le paysage littoral de la baie des Chaleurs.

d'entre eux vint s'établir sur les rives de la baie des Chaleurs, après 1757. D'autres Acadiens revinrent de France par la suite pour former bientôt deux noyaux importants à Tracadigache (Carleton) et à Bonaventure, puis d'autres moins nombreux à Port-Daniel, Paspébiac et Grande-Rivière.

Il importe ici de noter qu'en plus d'être pêcheurs les Acadiens formaient une classe d'agriculteurs de tout premier ordre; les terres d'où on les avait chassés comptaient parmi les plus beaux terroirs de la Nouvelle-Écosse et c'est à dessein qu'ils s'établirent sur les terrasses fertiles de Carleton et de Bonaventure où, en moins de deux générations, les fruits du sol les rendirent moins dépendants des hasards de la pêche; on se le rappellera quand, dans les itinéraires qui suivent, nous verrons défiler le paysage agricole prospère de ces anciens noyaux. Contrairement aux résidents français, les Acadiens apportaient avec eux un esprit de groupe et un sens collectif qui perdura longtemps dans la baie, s'opposant comme équilibre à un nouveau groupe, homogène lui aussi, qui arriva à son tour: les loyalistes.

La guerre de l'Indépendance américaine jeta sur les routes plusieurs milliers de familles restées fidèles à la couronne britannique. Le gouvernement anglais de Québec les accueillit aussitôt, les dirigeant surtout vers ce qui devint le Haut-Canada, l'Ontario. Il en établit aussi au Québec et en Gaspésie. Près de deux cents familles vinrent en effet s'installer à grands frais (pour l'État), en des lieux que les administrateurs de l'époque leur proposèrent, soit New Richmond, New Carlisle, Port-Daniel-West et Douglastown. À

La vallée de Percé, à l'arrière-plan la «Table à Roland». Début du siècle.
(Archives publiques du Canada)

ces nouveaux foyers se greffèrent d'autres éléments anglophones arrivés par la suite: militaires réformés, Écossais entreprenants, Jersiais attirés par les compagnies de pêche, puis des Irlandais émigrés ou jetés sur les côtes à la suite de naufrages. Effet du hasard? Tentative d'assimilation? Les centres anglophones alternaient avec les noyaux francophones et pendant longtemps les premiers dominèrent majoritairement les seconds. À la fin du XIXe siècle, et ensuite lors de la crise de 1930, des éléments québécois francophones, attirés des vieilles paroisses laurentiennes par les campagnes de colonisation, vinrent grossir les rangs gaspésiens et peupler l'arrière-pays.

Terminons cette esquisse des origines ethniques des résidents de la baie des Chaleurs en rappelant au visiteur que la lecture même du paysage révèle cette mosaïque culturelle de l'occupation. D'un village à l'autre, d'une campagne à sa voisine, non seulement le paysage naturel change-t-il, mais aussi le bâti, le mode d'implantation, l'architecture domestique et religieuse; et si on peut parler d'osmose, de contacts, d'échanges entre ces groupes, c'est à une époque fort récente parce qu'à nos yeux la baie des Chaleurs apparaît encore comme une multitude de petits pays, de foyers culturels.

Occupation d'un barachois par des pêcheurs: quai riverain et bâtiments temporaires sur le banc. Vers 1927.
(Archives publiques du Canada)

Boeuf tirant un tombereau de goémon ramassé sur les plages. Type d'image pittoresque qui frappait les touristes d'il y a quarante ans.
(Carte postale coloriée. Collection: Groupe de recherches en histoire du Québec rural)

Terrasse cultivée de Barachois-Nord. Belle harmonie des lignes naturelles et des aménagements.

L'économie traditionnelle

À la pêche saisonnière du XVIIe siècle succéda la pêche sédentaire qui elle-même connut son apogée au XIXe. L'essor définitif vint d'un Jersiais, Charles Robin, venu en reconnaissance en 1767 et qui fonda par la suite l'un des empires économiques les plus solides de toute l'histoire du Québec. Autant on qualifia certains entrepreneurs de l'Outaouais de «barons du bois», autant l'expression «barons de la pêche» s'appliquerait aux Robin et à quelques autres (Le Bouthillier, Janvrin, Biard) qui suivirent l'exemple. En plus de monopoliser le commerce du poisson, la C.R.C. (Charles Robin & Co.) dominait la vie économique grâce à un système de troc (moitié en espèces, moitié en nature) qui tint entre ses mains les pêcheurs asservis. Contrôle des terres, des villages, refus des écoles, les «compagnies» régnaient sans contestation dans la baie, sauf en quelques villages anglophones comme New Carlisle et Port-Daniel-West. Nous en traitons plus en détail dans l'itinéraire de Paspébiac, siège d'affaires des deux principaux «barons», mais il faut insister dès maintenant sur le fait que chaque grève, chaque barre à choir,

La chapelle anglicane de Saint Lukes, magnifiquement nichée dans la verdure de Coin-du-Banc.

chaque port abrité ou presque dans toute la baie des Chaleurs accueillit un jour un comptoir, un magasin ou un entrepôt de l'une ou l'autre des compagnies commerçantes. Ces bâtiments vétustes, abandonnés sinon disparus, souvent beaux dans leur solitude, marquent l'histoire commerciale de ce coin de pays, comme les camps de bûcherons écrasés jalonnent l'Outaouais ou la Mauricie. Ils crient la sueur, les peines, les durs travaux de communautés d'hommes et de femmes prisonniers d'un système qui a tardé à s'humaniser.

Tel se présentait Percé et le cap Baril à l'époque des pêcheurs saisonniers.
(Canadian Illustrated News, 3 novembre 1877. Archives publiques du Canada)

Pêche à la morue, au hareng, au homard, ou au saumon, chacune connut son apogée, ses lieux de transformation et... ses abus d'exploitation. Et si l'histoire des pêcheries de la Gaspésie est relativement bien connue, la tragédie des conséquences humaines et écologiques de la surexploitation commence à peine à se raconter. Le rétrécissement continu des stocks marins, vu sur quatre cents ans, a quelque chose d'effarant et on comprend aisément les craintes de certains pêcheurs qui affirment comme imminente la disparition du métier. Seuls demeureraient quelques gros chalutiers ou navires-usines pour aller racler les bancs du large, de plus en plus loin.

L'agriculture ne connut de progrès véritable et ne fut pratiquée de façon intensive que par les Acadiens et quelques groupes de loyalistes et d'Écossais, du moins au XIXe siècle. Ce n'est pas un hasard si les rares moulins à farine de la baie des Chaleurs ont été construits tardivement, après 1830, et dans les seules localités où subsiste aujourd'hui un potentiel agricole de taille: Carleton-Maria, Bonaventure-Caplan. Partout ailleurs, l'agriculture fut réduite à la production domestique de choux, de raves, de pommes de terre et de fourrage pour les quelques animaux.

L'ouverture progressive de la Gaspésie au monde extérieur, par le cabotage puis par l'arrivée du chemin de fer en 1876, sortira le régime de vie de son caractère autarcique. De plus, l'exploitation forestière, commencée timidement par la coupe des cèdres et des pins à Pabos et Bonaventure, reprit intensivement à la fin du siècle, lorsque la rareté du grand bois de sciage ailleurs au pays justifia les coûts pour franchir les barrières montagneuses qui bordent l'étroit cordon littoral. Quant à l'industrie papetière, elle ne s'implanta à Chandler et New Richmond que plus tard au second quart du XXe siècle. Les agriculteurs-pêcheurs purent alors trouver à s'employer un peu dans les chantiers, en plus de pouvoir vendre fourrages, lard et pois comme approvisionnements.

Quand les routes de la Gaspésie appartenaient aux enfants . . .
(Carte postale coloriée. Collection: Groupe de recherches en histoire du Québec rural)

Ensemble domestique de la baie d'Escuminac, vers Miguasha. Corps de logis principal flanqué de rallonges utilitaires. Prédominance du bois.

Havre de Petite-Rivière-Est, ou Sainte-Thérèse-de-Gaspé.

Mais la liaison par chemin de fer allait finalement créer des rapports contraires à ceux qu'on espérait. En premier lieu, la voie ferrée, bien que rendue à Matapédia en 1876, se fit attendre plus de quarante ans à Gaspé, le temps que s'installe un rapport de forces défavorable pour la baie des Chaleurs: au lieu de faciliter l'exportation de poissons et de denrées agricoles comme l'espéraient les chantres de la colonisation, le train enleva à la Gaspésie sa main-d'oeuvre, inactive l'hiver, et l'amena dans les chantiers forestiers de l'Outaouais, de la Mauricie, de l'Ontario, quand ce ne fut pas vers les usines. Les Gaspésiens prirent lentement l'habitude d'aller gagner le nécessaire hors de chez eux.

Et pourtant les élites chantaient sur toutes les gammes la valeur du sol, du climat, et l'avenir prometteur de l'agriculture dans la baie des Chaleurs, à quoi souscrivait le clergé de toute la province comme palliatif unique à l'industrialisation et aux dangers de la vie urbaine. Les écrits foisonnent,

On trouvait autrefois derrière chaque habitation gaspésienne un vigneau chargé de morues.

à partir de 1880, sur les avantages de l'agriculture en Gaspésie: Langelier, Rouillard, Buies et Pelland, sans compter l'influence d'Honoré Mercier, tous apôtres du retour à la terre. Le mouvement aurait pu être positif si un marché local avait existé: la plupart des observateurs s'entendent à reconnaître que, comparée à l'Écosse, à la Suisse ou à la Belgique, la Gaspésie pourrait contenir un million d'habitants et trouver à les occuper et à les nourrir. Mais les forces économiques voulurent que ce pays lointain restât un réservoir de main-d'oeuvre, de matières premières, de ressources peu ou point transformées. Une colonie, quoi! Le mot n'est pas trop fort et ne peut choquer que les profiteurs du centre de ce continent. Deux auteurs de l'époque attribuaient la baisse de population et la faible densité de l'occupation

«*D'abord, à ce ver rongeur de l'émigration qui depuis plus de trente ans enlève aux travaux de la terre des milliers de bras pour les précipiter dans les usines américaines; puis à cette passion qui porte la majorité de la population à donner tous ses soins et ses efforts à l'industrie de la pêche, dont le rendement est cependant de moins en moins satisfaisant*[12].» De son côté, devenu géographe après avoir été publiciste, Buies écrivait en 1898:

«*Ce pays n'a eu de communications régulières d'aucune sorte jusqu'aujourd'hui par la vapeur, si ce n'est un petit service bi-hebdomadaire accompli par un seul bateau dans la baie des Chaleurs. (. . .) On n'a donné à la Gaspésie, ni quais, ni ponts, ni routes suffisantes, parallèles à son développement. (. . .) L'éloignement de la Gaspésie, l'isolement féroce où l'a tenue l'absence des communications, les perfidies d'une tradition obstinée qui enracinait de plus en plus tous les ans dans l'esprit du public l'idée que la Gaspésie n'était et ne serait jamais qu'un pays de chasse et de pêche . . . l'ignorance profonde, épaisse, où tout le monde était tenu au dehors sur la valeur et la nature réelle d'une contrée que l'on croyait presque inhabitable et qui*

---

12 Eugène ROUILLARD, *la Colonisation dans les comtés de Témiscouata, Rimouski, Matane, Bonaventure, Gaspé,* ministère de la Colonisation, Québec, 1899, p. 120.

jouit au contraire d'un climat remarquablement régulier et tempéré: ces quelques causes et d'autres encore ont paralysé jusque dans leurs germes toutes ces tentatives de colonisation et de culture[13].»

Et pour finir

En revanche, trains et bateaux amenèrent ici un produit nouveau, le tourisme, nous les visiteurs venus du centre du pays. De petits navires venaient chercher les nouveaux arrivants à Campbellton pour les répartir ensuite aux lieux de villégiature qu'étaient Carleton, New Carlisle, Port-Daniel et, bien sûr, Percé. D'autres venaient par la mer, en yacht, des Maritimes et de la Nouvelle-Angleterre. Puis le «p'tit train de la Baie» roula jusqu'à Gaspé après 1915 et, finalement, le réseau routier de ceinture, le boulevard Perron, ouvrit la Gaspésie tout entière à la curiosité des citadins, peu avant la dernière guerre. Ce fut une découverte: datent de cette époque les images-types qu'on ramena de la Gaspésie, la saveur, le pittoresque, la différence qu'on s'expliquait mal, mais qu'on percevait avec sympathie.

Aujourd'hui, la Gaspésie a rejoint le fameux train du progrès, mais s'agit-il bien de progrès? La saignée de population continue toujours, l'économie complémentaire ne s'équilibre toujours pas. Seule s'affirme de plus en plus pesamment la volonté du Gaspésien de poursuivre la lutte commencée par les pêcheurs sédentaires il y a des siècles: la lutte pour vivre ici, à la manière de son choix. C'est précisément cette manière que nous vous invitons à découvrir, en commençant par le patrimoine le plus visible, le paysage. Et si le paysage vous dépayse, tant mieux, et un peu de patience: il aura tôt fait de vous apprivoiser.

---

13 Arthur BUIES, *Lettre à l'honorable Turgeon, commissaire de la colonisation, en 1898,* dans ROUILLARD, *op. cit.,* p. 120.

Foyer 1
De Miguasha à New Richmond

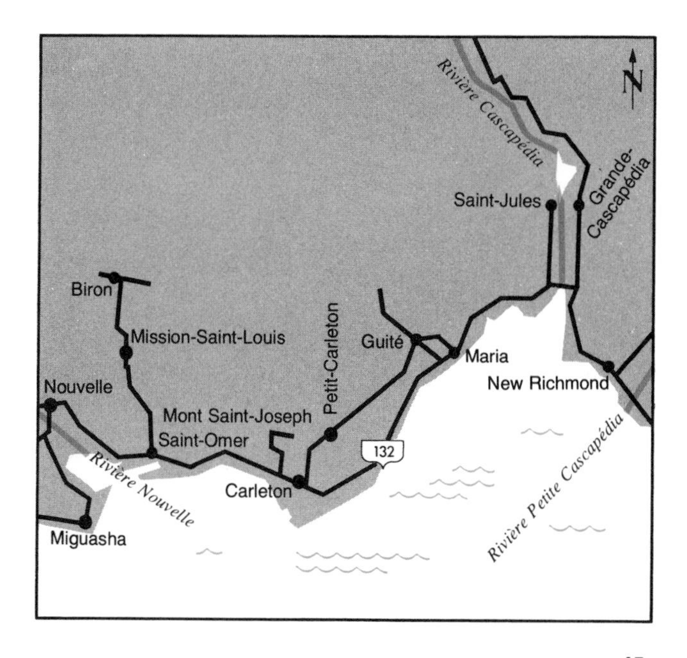

Introduction

Dans ce foyer, nous allons aborder tour à tour les réalités suivantes: la paléontologie, les implantations agricoles, la pêche au saumon. Non pas que l'histoire des Acadiens de Carleton (Tracadigache), ou celle des Amérindiens de Maria, ou encore celle des loyalistes de New Richmond ne méritent l'attention; au passage, nous nous y attarderons même volontiers, mais la lecture du paysage justifie, pour son intelligence, le choix des réalités énumérées plus haut.

La pointe Miguasha et la pointe Inch Arran (au Nouveau-Brunswick) forment le goulot terminal de la rivière Restigouche; au delà, l'horizon marin s'ouvre rapidement. C'est à proprement parler le début véritable de la baie des Chaleurs. Du côté québécois une bande étroite de basses terres s'étire au pied du plateau montagneux. Elle borde deux grandes baies: la baie de Carleton et celle de Matapédia. Plusieurs baies de moindre importance et plusieurs embouchures de rivières ont contribué à façonner ce littoral que nous décrirons un peu plus loin.

Là ne s'arrête pas la ressemblance. Deux communautés, Carleton et New Richmond, situées respectivement au fond des baies, ont constitué les principaux centres de rayonnement dès le moment de leur naissance, à la fin du XVIIIe siècle: la première fut peuplée d'Acadiens, la seconde de loyalistes et d'Écossais.

Tous ont vécu et vivent encore principalement d'agriculture, d'un peu de pêche et de la forêt. Ici on est agriculteur d'abord, pêcheur ensuite, au contraire des résidents plus à l'est, au delà de Paspébiac. C'est probablement, d'ailleurs, l'un des premiers phénomènes importants à retenir pour comprendre la réalité de ce pays-ci: le fond de la baie des Chaleurs et presque tout le comté de Bonaventure constituent un pays d'agriculture aussi intense que le sont Lotbinière ou la Coste-du-Sud.

Le peuplement a rayonné de part et d'autre des deux pôles, puis a gagné peu à peu l'intérieur des vallées, les versants des montagnes, voire le sommet du plateau (Biron). La pêche au saumon, au hareng et au homard, importante à certaines époques, est vite devenue secondaire. De même en fut-il pour la construction navale et l'exploitation des forêts. Quant au tourisme, il ne connut l'essor qu'après la venue du «P'tit train de la Baie» en 1894; auparavant, ce qu'on a appelé la «Riviera» canadienne, avec ses plages et son doux climat, n'était accessible qu'en bateau, et à ceux-là seuls bien sûr dont la bourse était bien garnie.

Allons voir maintenant de plus près ce qui s'inscrit dans ce doux paysage que d'aucuns ont comparé à l'Écosse.

Miguasha

Bien sûr, on accède habituellement à la péninsule de Miguasha via la 132, soit en empruntant la route du bord de l'eau à Escuminac, soit en effectuant le détour exprès à la sortie est de Nouvelle. D'autre part, vous n'aurez pas de chagrin d'une traversée en bateau-passeur de Dalhousie à Miguasha à bord du vieil *Inch Arran* au nom gaélique si étrange.

Pendant la demi-heure que dure le passage, on se repose des fatigues de la route en voyant s'approcher les falaises rouges qui, en langue micmaque, s'énonçaient Megueck shawk — longtemps rouges. C'est un peu comme si on abordait dans une île, dans un pays nouveau. Et l'on n'a pas tort: aborder à Miguasha produit la même impression qu'aborder aux îles de la Madeleine, ou à l'île du Prince-Édouard, c'est un vrai *dépaysement*.

D'abord il y a ces montagnes aux faces abruptes qui semblent choquées de la vie minuscule qui s'étire à leurs pieds; on croirait qu'elles menacent de resserrer leur emprise sur la bande littorale fertile qui les longe. Puis, à l'est, l'oeil s'accroche au mont Carleton dont le profil plus doux assure comme une protection bienveillante. Et plus on approche des terres rouges, plus la vie se précise. Du bateau-passeur, on voit voler presque au ras de l'eau les cormorans noirs au cou allongé qui abondent dans ces parages. On distingue déjà, sur la côte, une jolie bande de pâturages ondulés où broutent paisiblement des centaines de moutons. Vers l'ouest les terres riveraines s'aplanissent, tandis qu'à l'est la pointe de Miguasha étend sa pente douce tout autour de la magnifique anse des McGrearty. Mais l'intérêt le plus grand de ces lieux n'est pas visible de loin; au contraire, il se cache au sein même de ces falaises qui nous barrent la vue vers l'ouest: Miguasha est un centre, internationalement reconnu, d'étude des formes de vie très anciennes, de paléontologie si vous voulez. Et un musée tout neuf vous attend à quelques centaines de mètres à l'ouest du quai pour vous montrer les restes fossiles et vous parler du temps où ces êtres étaient vivants.

Nous ignorons presque tout, hélas, de cette discipline étrange et hermétique qui consiste à identifier les formes de vie pétrifiées ou fossilisées au coeur même des formations géologiques de notre mère la terre. Nous abandonnons d'emblée ces recherches aux savants qui à chaque saison, sac à l'épaule, marteau en main, s'agrippent à nos fameuses falaises: outils nécessaires à la science, des fossiles de Miguasha enrichissent aujourd'hui les collections des plus grands musées du monde aux États-Unis, en Angleterre,

La falaise littorale de Miguasha cache les restes fossilisés de poissons préhistoriques.

au Canada, en Suède et en Norvège, et c'est avec raison que le gouvernement a créé un parc pour protéger la zone qui s'étend de part et d'autre du musée de Miguasha.

Mais il y a place aussi pour l'amateur qui veut s'initier à la découverte. Les environs du village de Nouvelle et la baie d'Escuminac sont à prospecter. À cette fin, le musée de paléontologie de Miguasha et ses animateurs pourront répondre à vos interrogations. En attendant, nous vous offrons un résumé bien squelettique, une sorte d'initiation à la paléontologie, qui suggérera à certains d'entre vous le goût peut-être d'en découvrir davantage.

Miguasha et ses vieux poissons

Depuis de nombreuses années, la région de Miguasha est considérée comme un site très important pour la connaissance des formes de vie anciennes. En effet, les falaises de couleur verdâtre qui bordent le littoral à l'ouest du quai de Miguasha tranchent des couches géologiques riches en

Le versant sud de Miguasha permet le pâturage. Au loin, la pointe abrite une ferme fort bien située.

fossiles de poissons et de plantes aquatiques. Ces couches sont chapeautées par les grès rouges de la formation de Bonaventure: observez la falaise rouge en arrière-plan, juste derrière une bande de terres cultivées. Cette formation s'abaissera d'ailleurs vers l'est, pour former la falaise littorale de la pointe est de Miguasha et du comté de Bonaventure.

Mais revenons à nos fossiles. Oubliez le paysage actuel de la région et, par un effort d'imagination, reportez-vous 390 millions d'années dans le passé. Le climat est beaucoup plus chaud qu'actuellement; remplace ces falaises et ces collines une étendue d'eau probablement douce ou légèrement saumâtre. À tout le moins, si l'on se fie à la finesse des sédiments qui se déposaient au fond du bassin et qu'on voit maintenant dans la falaise, l'eau était relativement calme.

Nous sommes au dévonien, époque géologique connue aussi sous le nom d'âge des poissons. Dans la chaîne de l'évolution, une révolution: ces animaux sont parmi les premiers à être équipés d'une colonne vertébrale! L'homme est d'ailleurs issu de cet embranchement. Dans les eaux de Miguasha, vivaient donc toute une variété de poissons aux formes quelquefois étranges, mais qui représentent les différentes étapes de l'évolution des poissons. On ne sait pas, cependant, si toutes les espèces actuellement identifiées ont pu vivre en même temps. On ne sait pas non plus comment ces poissons étaient apparentés les uns aux autres. C'est là le travail des paléontologues, qui essaient d'une certaine façon de refaire l'arbre généalogique des premiers poissons.

Au musée de paléontologie de Miguasha, vous aurez l'occasion d'observer les restes fossilisés de poissons aux allures quelquefois bizarres: ainsi ces poissons sans mâchoires, équipés d'une tête osseuse large et plate, qui se nourrissent en aspirant l'eau et la vase du fond, dont ils retiennent pour les avaler les seules particules nutritives, se déplacent de manière indolente, mais leur anatomie leur permet une grande liberté de mouvement et ils sont à l'aise dans l'eau. Les premiers poissons équipés de mâchoires, tel le bothriolepis, ont un revêtement osseux sur la tête ainsi que sur la partie antérieure du corps, les deux étant reliées par une jonction souple qui leur permet d'ouvrir une gueule sans dents, mais aux bords acérés. Ces poissons évoluent surtout au fond de l'eau.

D'autres poissons à squelettes osseux possèdent des nageoires à lobes musculaires recouverts d'écailles, plus robustes que les nageoires à rayons qui équipent la plupart des poissons. Le développement de ce caractère permettra d'ailleurs à leurs descendants de se mouvoir sur la terre ferme. Parmi les poissons à lobes, certains possèdent des poumons. Ces poissons «dipneustes» pouvaient respirer de l'air quand l'eau devenait croupie. Chez d'autres, les «coelacanthes», le poumon a dégénéré et est devenu une véritable vessie natatoire, réserve d'air qui permet aux poissons de se stabiliser à la profondeur désirée sans activer continuellement leurs nageoires. Des animaux franchement amphibiens, pouvant évoluer autant dans l'eau que sur la terre, fréquentent aussi les rives du bassin de Miguasha.

Pour compléter ces informations et observer «de visu» les restes fossilisés de ces premiers vertébrés, nous vous incitons à visiter le musée. Vous pouvez, bien sûr, vous promener sur la grève et essayer de voir des fossiles en place dans la falaise; vos chances de succès sont cependant faibles. S'il vous arrive d'en apercevoir, il vaut mieux laisser aux experts le soin de dégager ces vestiges car vous pourriez détruire des informations d'une grande importance scientifique. Vous pouvez observer et prendre des photos.

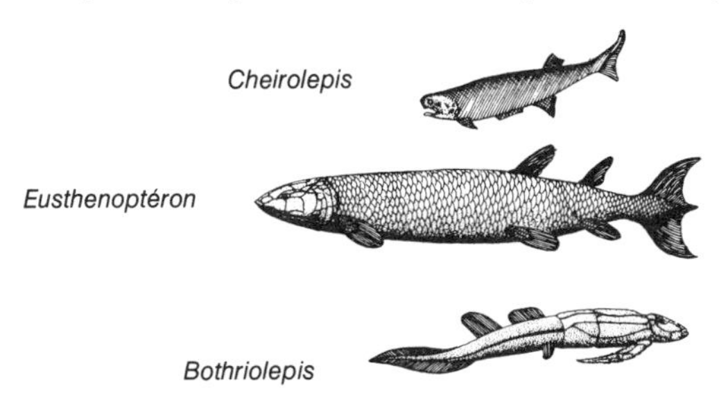

Quelques représentants des poissons qui nageaient dans les eaux de Miguasha, il y a quelque 390 millions d'années.

N'oubliez pas que ce site est un des plus importants au monde pour la connaissance de l'évolution des premiers poissons qui ont hanté les eaux de notre planète. Pensez au chemin parcouru entre les fossiles qui gisent derrière ces falaises et les poissons qui nagent aujourd'hui dans les eaux de la baie des Chaleurs. Tous les vertébrés aquatiques ou terrestres, vous et moi faisons partie de cet embranchement dont les poissons fossiles de Miguasha sont les premiers représentants.

Autres ressources de Miguasha

En réalité, la péninsule de Miguasha se prête magnifiquement à un séjour prolongé et aux excursions à bicyclette: retirée à l'écart de la circulation, elle conserve une tranquille allure champêtre. On peut pêcher la truite de mer dans la rivière Nouvelle, cueillir les moules dans le grand bassin à partir de la pointe Labillois ou explorer les barres* sablonneuses de l'anse des McGrearty.

Les Amérindiens micmacs fréquentaient, fort longtemps avant les blancs, l'embouchure de la rivière Restigouche. Ils y vivaient surtout de la pêche au saumon et de la

La baie de Tracadigache. Au fond, la bande littorale de Carleton dominée par la surface tabulaire du plateau.

chasse aux oiseaux migrateurs qui venaient par milliers s'abattre dans les champs marins, les foins salés et les ajoncs* des nombreux estuaires. Un journaliste célèbre au siècle dernier, J.-G. Barthe, raconte comment à l'été de 1834 il assista à une pêche au saumon à la hauteur de Miguasha:

L'anse des McGrearty s'ouvre au sud-ouest: c'est l'une des plus harmonieuses implantations agricoles de la presqu'île de Miguasha.

«... après m'avoir écouté lui raconter mon expédition depuis la pointe dite de Megueck Shawk, ce qui signifie en micmac, longtemps rouge, parce qu'en effet elle nous paraît de cette couleur d'aussi loin qu'on peut l'apercevoir. Là des sauvages m'avaient reçu dans un de leurs grands canots d'écorce, fort bien monté. La distance à franchir était, je crois, de 15 à 18 lieues et, comme c'était l'heure de la marée montante, je passai une nuit splendide à voir faire à mes guides la pêche au saumon au flambeau et avec la nigogue, tout en jouissant du bel exercice de la pagaie en cadence comme ces habiles enfants de la nature savent le faire au grand ravissement des civilisés de mon espèce, toujours pris au dépourvu dans les circonstances graves de la vie où il s'agit de se suffire à soi-même*[1].»

1 J.-G. BARTHE, *Souvenirs d'un demi-siècle*, p. 117.

La pêche au saumon a constitué dans la région immédiate un revenu non négligeable pour les agriculteurs riverains. Ainsi on voit encore une cabane en bois rond et une ancienne boutique de forge sur la terre de M. Adélard Roy, face au bassin de la rivière Nouvelle: elles servent de remise aux filets et au gréement de pêche, elles abritent aussi le «flat» ou barge à fond plat qu'utilisent la plupart des pêcheurs de la baie. Le saumon fait l'objet plus loin d'un traitement particulier (voir page 74).

Ces bâtiments en bois rond nous rappellent aussi par leur présence l'époque des premières installations d'agriculteurs à Miguasha. Cela remonte aux années 1810 alors qu'arriva de Bretagne le docteur Charles La Billois, ex-chirurgien de Napoléon Bonaparte. Il vécut ici, pratiquant à la fois son art, la pêche au saumon et l'agriculture. Peut-être trouva-t-il une ressemblance entre le paysage rude de Miguasha et les côtes abruptes de son pays natal. Finalement l'arrivée d'autres colons en nombre croissant et leur installation au fond du bassin firent qu'on développa plutôt la mission de Nouvelle. Desservie d'abord depuis Carleton, et peuplée par la croissance naturelle des Acadiens, la paroisse de Nouvelle fut érigée en 1868.

Maisons de colonisation reliées par un passage.

D'où vient ce nom de Nouvelle? C'est la rivière que l'on nomma ainsi pour honorer le père Henri Nouvel, jésuite, venu en 1664 en mission chez les Amérindiens de la Gaspésie. Détail anecdotique: l'hiver le surprit après avoir quitté Québec et l'obligea à hiverner près de Rimouski. La pointe où il descendit se nomme depuis pointe au Père.

Nouvelle et Miguasha sont la patrie des Allard, des Kerr, des Connors; ici, comme presque partout dans la baie des Chaleurs, les ethnies se côtoient, se voisinent. Chacun a mis en valeur à sa façon le patrimoine terrien. Ainsi nous voyons une magnifique ferme implantée sur le versant sud-ouest de la pointe Miguasha. Abritée des vents d'est, ouverte au soleil, baignée par les eaux toujours calmes de l'anse, la maison McGrearty se dresse au milieu des magnifiques prairies qui s'inclinent sur elle. On y observe aussi des clôtures dites «en chicane» qu'on retrouvera fréquemment autour de Carleton et de New Richmond.

Tout à l'opposé de cette opulence paraissent les étranges petites maisons reliées qu'on voit sur la route de ceinture. Étranges parce que peu communes ailleurs au Québec. De fait il s'en trouve encore derrière Carleton, et aussi dans Gaspé-Nord. Il s'agit du phénomène d'agrandissement, d'évolution des habitations domestiques. Ailleurs au Québec, on a pris l'habitude d'agrandir la première maison ou d'en construire une plus vaste. Ici, manifestement, on a accolé une seconde maison à la première, reliant les deux par un passage. Que l'une d'elles serve ou non de cuisine d'été ne change rien à l'aspect plutôt sympathique de l'ensemble.

Installées souvent sur des terres maigres, aux fortes pentes plus propices à l'élevage des ovins qu'à la production de céréales, beaucoup de familles gaspésiennes ont encore à lutter férocement pour joindre les deux bouts. Réponse des Gaspésiens à leurs besoins d'espace intérieur, ces maisons reliées nous disent la débrouillardise et témoignent de l'ingéniosité de leurs occupants.

L'élevage du mouton convient bien aux terres en pente de Miguasha.

Structures de bois rond servant de remises pour les pêcheurs de saumons.

La baie de Tracadigache

Lorsque, après une journée pluvieuse, le soleil sort des nuages et noie de sa lumière dorée de fin d'après-midi le bassin de Nouvelle et la baie de Tracadigache, on se demande s'il peut exister ailleurs d'autres pays si chaleureux. Si l'on a la chance de se trouver à ce moment-là à l'extrémité est de Miguasha, c'est un paysage splendide qui se dessine sous nos yeux. Les rayons inclinés du soleil accentuent les reliefs et, d'une certaine façon, schématisent ce paysage.

En arrière-plan, c'est la surface tabulaire du plateau qui se termine en une pente abrupte de plusieurs centaines de mètres où la forêt conserve encore ses droits. Les ombres accentuent les profondes incisions par où les eaux du plateau descendent à la mer. Au pied de la montagne, noyée dans la lumière dorée, s'allonge une bande de basses terres qui semble gagner du terrain sur la mer en y projetant des barres de sable, des flèches qui enserrent des plans d'eau calme et peu profonde.

Entre les collines de la «presqu'île» de Miguasha et le bord du plateau, la rivière Nouvelle coule paresseusement dans une vallée large et basse qui pénètre profondément à l'intérieur des terres à la rencontre du soleil couchant. À son embouchure, la rivière se fraie un chemin à travers le delta qu'elle alimente de ses alluvions, avant d'aller se mélanger aux eaux saumâtres qui pénètrent dans le bassin de la rivière Nouvelle. La pointe Labillois, l'île aux Groseilles et les autres flèches sablonneuses qui referment presque le bassin sont des accumulations de sable construites à partir des alluvions transportées par la rivière Nouvelle et les nombreux petits ruisseaux qui se jettent dans le bassin. Un jour, peut-être encore lointain, les barres de sable se rejoindront presque et le bassin deviendra un véritable barachois.

Ici la terre semble gagner du terrain sur la mer, plus loin ce sera l'inverse. Dans les «instructions nautiques» on avertit bien les navigateurs de prendre garde à l'ensablement rapide des fonds, à l'approche du quai de Carleton. Il en est de même pour la grande baie de Cascapédia: la rive est, en particulier, est ensablée sur deux milles au large de la Petite rivière Cascapédia, ce qui rend les anciens quais inaccessibles.

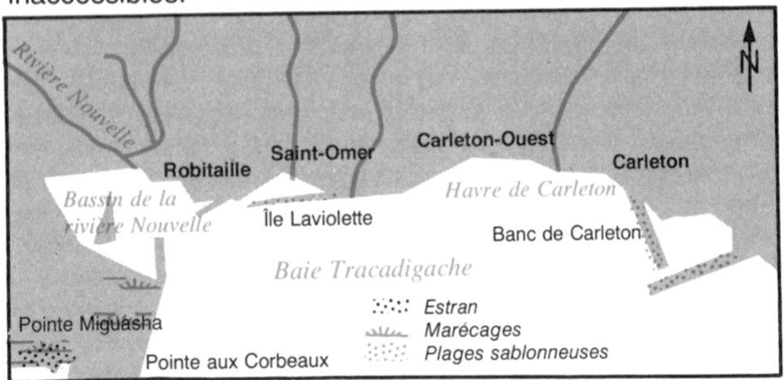

Carte de la baie de Tracadigache. Remarquez la forme du littoral. Prenez le temps de lire les noms évocateurs qui ont été donnés aux lieux et aux phénomènes physiques.

Profitez de votre séjour dans les parages de ces bassins pour observer la faune et la flore des rivages sablonneux. Libérés du flottage du bois, en effet les dernières estacades sont alignées pour mourir, les bassins appartiennent aux estivants et . . . aux oiseaux de rivage qui s'affairent à trouver leur nourriture.

Voyage sur le toit du monde: Biron

En longeant la rive, plusieurs barres de sable, les barachois, s'étendent à peu de distance de la plage. Ils sont peuplés d'oiseaux de rivages, de goélands et de fameux hérons bleus qui ont aussi donné leur nom à l'île aux Hérons, loin au large, dans les eaux de la province voisine.

Saint-Omer, du nom du premier curé Omer Normandin, se trouve d'ailleurs en face de l'une de ces barres de sable toujours agréables à arpenter. On trouve aussi dans le village une auberge de jeunesse.

C'est l'occasion unique pour vous d'un court voyage sur le toit du monde, enfin presque, le toit du monde d'ici en tout cas... Laissez là toute charge inutile, cycliste, car nous allons monter plus de 500 mètres. «Tentes-roulottes, prière de s'abstenir!» En fait, c'est l'excursion rêvée d'une belle journée chaude du mois d'août, quand la lumière du matin se fait transparente. Dans le village de Saint-Omer, un panneau signale la route vers Saint-Louis-de-Gonzague; suivons-la.

Le chemin vient d'abord buter au pied d'une montagne, puis la gravit en lacet et soudain nous débouchons sur un rang élevé. Une vieille statue dort au milieu des broussailles; bien que cultivés, les champs semblent déserts. Nous sommes à Mission-Saint-Louis. La première maison, à droite, domine tout le paysage de la baie; quel panorama! À l'origine on tenta d'y établir des Amérindiens, mais sans succès.

Le cimetière de Biron, encore enclos et entretenu,
se dresse contre l'oubli au sommet du plateau sans vie.

Puis finalement, au début du siècle, les gens d'en bas sont montés ici, attirés par les surfaces fertiles et presque planes du plateau. Un bâtiment de rangement rappelle ce passé de défrichement: billes de bois rond empilées, lambris d'écorces de merisier et de croûtes, toit de bardeaux.

Plus loin, installée en étagement, l'agglomération de la mission survit péniblement. Les visiteurs se font rares. Une jolie vallée ouverte à l'ouest sert de niche à deux ou trois fermes magnifiquement prospères: vergers, jardins, bâtiments multiples et quelle paix! Puis la route continue, toujours plus au nord, droite, comme pour aller se perdre. Ne cherchez pas d'indication pour «Biron», il n'y en a plus... Et ne cherchez plus Biron, il n'existe plus, mais vous y êtes. Vous voyez la croix blanche là-bas, l'enclos du cimetière? c'était Biron.

Groupe de fermes en contrebas de Mission-Saint-Louis.

Fondé par la génération du courage, il a été rasé par celle de l'efficacité. Étrange et poignante impression que de déambuler dans cette rue asphaltée où il n'y a pas dix ans chantait encore la joie des enfants. Plus impressionnant que tout, le cimetière aux croix blanches, à l'enclos solide, au gazon frais tondu par la main de ceux qui ne peuvent ni ne veulent oublier.

Carleton

Le havre était protégé par deux barres de sable offrant un abri sûr aux chaloupes. Les enfants y prenaient de la plie à mains nues. Le hareng abondait et le capelan venait rouler. La terre y était riche et la montagne toute proche contenait le plus beau bois. Ils venaient de Beaubassin, ils étaient Acadiens.

C'était en 1756 et en souvenir du pays qu'ils quittaient ils nommèrent celui-ci Tracadièche (petite Tracadie).

Ainsi arrivèrent sur les rives de la baie des Chaleurs les familles Allain et Barriault, les Bourque et les Bernard, les Bujold, les Dugas, les Cyr et aussi des Leblanc, des Arsenault. Ils s'établirent ici et à Bonaventure, d'où leurs descendants se répandirent dans toute la baie et au-delà. L'histoire des Acadiens est belle mais mouvementée et ce serait lui faire injure que de tenter en si peu d'espace de l'esquisser seulement. Le lecteur aura donc avantage à se procurer les ouvrages du frère Antoine Bernard[2] ou de Bona Arsenault[3] avant de séjourner dans la baie des Chaleurs.

Décrire l'Acadien est impossible. Il n'y a pêcheur plus dur à la peine; il est aussi terrien «de première classe» (aux sens pleins du mot) et ce furent les plus belles terres de la Nouvelle-Écosse qu'on lui vola il y a deux cents ans. Excellent agriculteur, l'Acadien a modelé le paysage rural du coeur de la baie des Chaleurs, il l'a humanisé et marqué de façon aussi originale que l'Écossais ou le loyaliste, son voisin. À partir de Tracadièche, pardon! Carleton, jusqu'à New Carlisle, s'offre le parallèle entre ces deux traditions agricoles majeures; impossible de ne pas le remarquer!

Mais revenons à Carleton. Il s'y trouvait 40 familles en 1773, lorsque s'installa l'abbé Joseph-Mathurin Bourg, le premier curé résident. Des familles de la vallée du Saint-Laurent vinrent aussi grossir la population: les Allard, de Charlesbourg, les Audet de la Coste-du-Sud et d'autres. À partir de 1783 il y vint quelques loyalistes, mais pas en aussi grand nombre qu'à New Carlisle, Douglastown et New Richmond. Ce fut à cette époque aussi que le gouverneur

---

2.-3 À consulter: Antoine BERNARD. *Histoire de la survivance acadienne, 1755-1935*, Montréal, Clercs de Saint-Viateur, 1935, 465 pages; Bona ARSENAULT, *Histoire et Généalogie des Acadiens*, Québec, Conseil de la vie française en Amérique, 1965, 2 tomes.

général de la colonie, sir Guy Carleton, lors d'une tournée en Gaspésie, a séjourné à Tracadièche. Il y laissa son nom, et son épouse Maria celui de la localité voisine.

Quel était l'aspect de Carleton au début du XIXe siècle? Mgr Plessis, évêque de Québec, nous en fait la description quand il fit sa visite pastorale de juillet 1811:

«Tracadigetche (car c'est l'ancien nom de l'endroit, que celui de Carleton ne saurait faire oublier) pourrait figurer avec les paroisse du second ordre dans l'intérieur du Canada; s'il ne vaut pas Kamouraska, Saint-Joachim, Sainte-Anne de la Grande-Anse, il ne le cède ni à L'Islet, ni à Neuville, ni à Saint-Roch-des-Aulnets. À la vérité il n'y a qu'une ligne d'habitations, mais elle n'a pas moins de cinq lieues d'étendue en y comprenant la partie nommée Maria. Une chaîne de montagnes assez hautes fait le fond du tableau: la bordure est un coteau bien soutenu par un rivage graveleux et uni. Un barachois de près d'une lieue de long, qui se remplit dans les grandes marées et laisse dans les marées ordinaires plusieurs îlots et battures à découvert, contraste par son calme avec l'agitation de la mer souvent irritée.

«Nous débarquâmes vers les deux heures après-midi. Deux bataillons quarrés, l'un d'hommes, l'autre de femmes, nous attendaient sur la grève, humblement prosternés pour rece-

Carleton vers 1865, d'après Thomas Pye.

voir la bénédiction épiscopale. Les décharges de mousqueterie roulèrent sans ménagement. Toutes les voitures de la paroisse (au nombre de trois, et c'est de toute la baie des Chaleurs le seul endroit où il s'en trouve) étaient retenues pour nous conduire de la place de débarquement à l'église. C'est la métropole de toute la baie. Néanmoins cette basilique est de bois et sans solage, et il n'en faut pas être étonné car soit rareté de la pierre à chaux ou de gens qui sachent la cuire, il est vrai de dire que dans toute cette région, on ne saurait trouver ni une maison, ni un solage de pierre, ni plus de 3 ou 4 cheminées qui soient faites autrement que de terre mêlée de foin avec des guenilles, bandages et plates bandes de bois.

«Carleton ou Tracadigetche est redevable de son établissement, comme tous les autres de la Baie, à la pêche de la morue. Les premiers colons demeuraient sur la grave; on appelle grave dans le district de Gaspé une grève où il y a des chafauds pour trancher et saler la morue, et des vignots pour la sécher. Ce ne fut qu'à la longue et lorsque la pêche perdit un peu de sa première abondance, qu'ils songèrent à cultiver la terre. Ils y ont assez bien réussi et recueillent présentement tout ce qu'ils consomment de froment et d'autres grains, sans néanmoins renoncer à la pêche, sur laquelle ils font parfois d'excellents retours[4].»*

Toutefois, comme ce semble être le cas pour la Gaspésie, tous ces soulèvements d'ensemble peuvent se produire en plusieurs étapes, de sorte que les différentes surfaces se présentent comme autant de réponses à ces mouvements distincts. Il existe une certaine analogie entre la formation de ces surfaces et celle des terrasses marines: l'échelle du temps est cependant très différente.

Effectivement les gens de Carleton vécurent toujours d'un peu de pêche, mais aussi de son commerce avec les Antilles. Le père de J.-G. Barthe possédait un chantier de marine

---

4 Joseph-Octave PLESSIS, *Journal de deux voyages apostoliques dans le golfe Saint-Laurent et les provinces d'en bas, en 1811 et 1812*, Québec, Le Foyer Canadien, 1865, p. 120-121, reproduit dans *Revue d'histoire de la Gaspésie*, vol. VI, no 1, (janvier-mars 1968), p. 42-44.

sur le banc de Carleton en 1822 et exportait sur une grande échelle les morues séchées. Les bateaux revenaient avec du rhum et de la mélasse. Au milieu du siècle, le hareng fumé trouva de bons débouchés; on vit alors apparaître quantité de fumoirs et, à Maria, jusqu'à un moulin à scie qui préparait le bois des empaquetages. Des gens entreprenants essayèrent aussi la culture des huîtres autour du barachois en 1890, mais sans succès.

Le mont Saint-Joseph

Un voyage à l'observatoire qui chapeaute le mont Saint-Joseph derrière Carleton est essentiel à qui veut comprendre le paysage de la baie des Chaleurs. Par temps clair, des coups d'oeil inoubliables vous y attendent. Un conseil, laissez en bas roulottes et bagages lourds car la montée est abrupte. Rassurez-vous, la route est cependant très belle.

L'itinéraire commence à Carleton, une route goudronnée vous conduira à travers de belles terres en culture jusqu'au pied de la montagne. En observant bien, vous verrez une succession de terrasses marines, ces espaces plats modelés

L'érosion a entaillé des vallées profondes en forme de V dans le rebord du plateau boisé.

par d'anciens niveaux de l'eau. N'oubliez pas que le rivage de la mer de Goldthwaït, à son maximum, était presque au pied de la montagne. L'eau noyait alors tous les terrains qui sont aujourd'hui en bas de l'altitude de 60 mètres.

Finalement la route s'engage à l'assaut de la montagne. D'une seule traite, nous passons de 90 à 546 mètres. À mesure que progresse l'ascension, le paysage s'ouvre à nos yeux, l'horizon s'élargit, les barrières visuelles s'évanouissent. Le pays habité nous apparaît bien petit par rapport aux vastes espaces boisés qui accompagnent le regard jusqu'à la limite de l'horizon. Au fond, vers l'ouest, la rivière Ristigouche émerge des bas plateaux et vient mêler ses eaux douces aux eaux saumâtres de la baie des Chaleurs. Dans cette région, les sommets se maintiennent entre 240 mètres et 300 mètres. Au pied de la montagne, s'allonge une étroite bande de basses terres agricoles qui s'élargit au delà de la baie de Cascapédia.

Vous êtes actuellement sur le bord du vaste plateau intérieur gaspésien, cette étendue de terrain surélevé, à la surface presque plane, d'où émergent ci et là des collines. Des entailles profondes, où s'écoulent ruisseaux et rivières, viennent interrompre la continuité de cette surface plane, créant l'illusion d'un pays montagneux. Les géographes nomment un relief semblable un *haut plateau*. Au delà, vers le centre de la péninsule, à 50 kilomètres d'ici s'élève la «barrière» des monts Chic-Chocs.

Le paysage qui s'étale à nos yeux est le résultat des derniers soubresauts qui ont agité la région dans les temps géologiques récents. L'épisode débute il y a environ 160 millions d'années, durant l'ère du jurassique. En réponse à des forces qui agissent sous la croûte terrestre, toute la région, y compris le golfe du Saint-Laurent et le plateau continental, se soulève. Dès lors, différents processus d'érosion commencent à agir. En théorie, quand des terrains sont soulevés au-dessus du niveau de l'eau (niveau de base), l'érosion les attaque et tend à les abaisser. Au terme de cette action, l'espace s'aplanit et les pentes sont devenues tellement faibles que le transport des matières par les divers facteurs d'érosion n'est pratiquement plus possible. Il en résulte alors une *pénéplaine*.

Ce schéma paraît assez simple tel que nous le décrivons, mais dans la réalité les choses se compliquent. En effet, les terrains soulevés qu'attaque l'érosion sont généralement constitués de roches dont la nature et la résistance sont différentes; aussi, certains massifs de roches pourront rester en relief au-dessus de la surface d'érosion, à moins que le cycle ne soit suffisamment long pour que ces roches aussi soient aplanies. Les Chic-Chocs correspondent probablement à de tels massifs rocheux plus résistants, résultant d'un phénomène qualifié d'*érosion différentielle*. Les roches très dures qui les composent ont résisté à l'érosion qui a modelé tout le plateau environnant.

Vue de Carleton et du mont Saint-Joseph en 1945.
(Archives publiques du Canada)

Le paysage actuel qu'on retrouve à l'intérieur de la péninsule gaspésienne résulte donc d'une suite de processus assez complexes qui, du reste, s'exercent encore. Ainsi, tout le réseau des vallées où serpentent ruisseaux et rivières et qui entaille en profondeur la surface du plateau, en particulier sur son rebord, apparaît comme une autre étape dans le processus de *pénéplanation*. Ces vallées s'élargiront progressivement, pénétreront plus loin à l'intérieur et, à la fin de tout ce travail, dans un avenir très lointain, tout relief sera éliminé. Puis, tout recommencera . . .

Avant de redescendre, observez les incisions en forme de «V» qui entaillent le bord du plateau, par où s'écoulent les cours d'eau. Ce profil est un indice que l'action glaciaire sur le relief a été ici négligeable. D'ordinaire, quand le glacier est agressif, il arrondit les angles des vallées et leur donne la forme d'une auge ou forme en «U».

Vous aurez sans doute remarqué le magnifique barachois* de Carleton. Le banc Larocque semble projeter au delà de la pointe des Bourque le profil littoral de la baie de Cascapédia. De l'autre côté, le banc de Carleton vient le rejoindre en laissant un chenail que les Français nomment un grau; ce chenail permet d'accéder aux eaux calmes et peu profondes de la lagune intérieure.

Derrière Maria les hangars à bois sont remplis à craquer. Le bois est bien sec, l'hiver peut durer.

Le tourisme à Carleton

À partir surtout de 1850, le calme et la prospérité de la ville attirèrent l'attention de la riche bourgeoisie. D'autant plus que des hommes politiques influents avaient propagé cette renommée. Londres avait son Brighton, Paris sa Riviera, Québec eut Carleton-sur-Mer. Le député John Meagher donna le ton, puis le docteur Landry de Québec, qui se fit construire une jolie villa. Mais l'explosion saisonnière n'arriva vraiment qu'avec le chemin de fer en 1895.

Imaginez, Carleton, à quinze heures de train du centre de la province. Les villas d'été surgirent, les hôtels à la mode, les équipées de pêche au saumon, les baignades. Les résidents croisaient des honorables, des ministres, des vrais lords d'Angleterre. Ce fut l'époque du «White House», des «Sables Rouges», de ces hôtels dont il reste aujourd'hui le pâle souvenir. Ce fut l'âge d'or de Carleton et il n'est guère de Québécois qui ne possèdent un oncle ou une grand-mère qui ne soit allé ou n'ait rêvé d'aller il y a cinquante ans à Carleton.

Aujourd'hui le charme n'est plus tout à fait le même mais les hérons y sont toujours, et le grand barachois, et le collectionneur d'agates près de la promenade qui polit ses pierres depuis deux générations; on y achète encore du poisson frais (au syndicat) et on peut encore gravir le mont Saint-Joseph, comme pour se souvenir, pour prendre ce recul du temps.

De Petit-Carleton à Guité

Presque en face du chemin allant au camping provincial, une route de travers mène vers Petit-Carleton. Trajet rêvé pour le cycliste! La route mène droit au pied de la montagne

Le barachois de Carleton et les terrasses marines cultivées.

et court ensuite le long du plateau. On notera dès à présent la multiplicité des bâtiments de ferme et leurs fonctions précises: certains ensembles comprennent jusqu'à deux caveaux à patates. Les granges sont littéralement entourées d'appentis variés, sur toutes faces. C'est là un des caractères dominants de l'architecture de ces exploitations. En août, nous avons admiré de magnifiques champs d'orge, commençant à mûrir. Ces terres ont été arrachées à la montagne et des parcelles en culture ou des pâturages grimpent sur ses flancs par d'étroites échancrures créant un paysage à la fois doux et agressif. Les maisons de ferme respirent l'aisance, la réussite. Le bois de chauffage gagné au bout des lots s'empile dans les abris ouverts aux vents jusqu'à les faire déborder. La vie agricole y est ici à maturité, en équilibre, à l'égal des plus riches paroisses au coeur du Québec.

Il faut savourer ce terroir, car avec l'arrière de New Richmond et le second rang de Caplan il forme l'un des joyaux agricoles du comté de Bonaventure. Une suggestion: à Guité, empruntez la route qui monte vers Gauvin. Dans la vallée de la rivière Verte, quelques ensembles valent le coup d'oeil.

Bel ensemble architectural propre à ce terroir: corps principal relié à la rallonge, lucarne centrale unique d'inspiration anglo-américaine, revêtement de bardeaux de cèdre. A. Guité.

Maria

À la sortie est du village de Maria, surveillez la «rue des pluviers». Elle mène au bord de l'eau et ensuite, à gauche, vers la pointe Verte qui borde un joli marais. Nous y avons observé des colonies de pluviers, de bécasseaux, de bihoreaux, des hérons, des goélands en grand nombre, bref la faune la plus commune à ces barres sablonneuses, et que vous trouvez décrite en détail au foyer suivant. De bonnes jumelles marines, quelques guides de poche et vous voilà équipé pour flâner quelques heures sur cette pointe abandonnée.

Un kilomètre plus à l'est, vis-à-vis de la jonction d'un chemin de travers et face à un garage, se trouve une station d'élevage du saumon. Bénéficiant du mélange d'eaux douces du ruisseau et d'eaux salées de la mer, les bassins en plein air contiennent ce roi des poissons qui rendit célèbres non seulement les rivières Cascapédia coulant tout près mais plusieurs autres rivières de la Gaspésie. La station dépend du ministère du Tourisme, de la Chasse et de la Pêche.

Enfin, on ne peut manquer de s'arrêter au magasin de la réserve micmaque de Maria. Habiles artisans de la vannerie en clisses de frêne, ces premiers occupants de la baie des Chaleurs poursuivent encore la fabrication de paniers et de contenants variés. Un chapitre particulier est consacré à ces Amérindiens, au foyer 6.

New Richmond

Les Micmacs appelèrent ces rivières Gesgapégiag — forts courants. Ils venaient dans leurs eaux vives et claires pêcher le saumon. La portion de terre comprise entre les embouchures de la grande et la petite Cascapédia en est une d'alluvions, de dépôts mis en place lors de la dernière invasion marine; c'est en réalité un immense delta. La topographie est vallonneuse et la végétation richement favorisée.

Quelques Acadiens s'y installèrent après 1756, soit les Cormier, les Bourque; mais ce furent surtout les familles loyalistes, les Pritchard, Willet, Robertson, Doddridge et Dutkie, qui formèrent le noyau des grands défricheurs. On se rappellera que les loyalistes étaient des Anglo-Américains restés fidèles à la couronne britannique et qui, devant la révolu-

Extraction de la marne derrière New Richmond
au début du siècle.

tion américaine, trouvèrent refuge dans les terres du Canada colonial. Londres les installa à grands frais dans la baie des Chaleurs et en Gaspésie où ils établirent les villes de Douglastown, New Carlisle et New Richmond. Le lecteur peut se référer aux pages concernant New Carlisle où la question est abordée. Puis, au début du XIXe siècle, un Écossais dynamique, William Cuthbert, construisit à New Richmond un grand moulin à scie et plusieurs chantiers forestiers. Le bois carré partait pour la Clyde, en Angleterre. Attirés par ce compatriote, des émigrants écossais, les MacNair et les Johnston, vinrent alors se partager les belles terres de New Richmond et jusqu'à tout récemment la population locale était à majorité anglophone.

Cet aspect du peuplement a donc eu une influence déterminante sur l'occupation de l'arrière-pays immédiat: le bâti offre un visage totalement différent. Ni les implantations agricoles, ni l'architecture, rien ici ne nous rappelle les fermes de la vallée du Saint-Laurent. En selle, cyclotouriste! En voiture! Payez-vous le luxe d'une promenade le long de ces deux rivières, dans les rangs de cet autre pays, au sein de ce terroir dépaysant. Tout y est inhabituel: les fermes à flancs de coteaux, comme en Écosse, les habitations éloignées des chemins et refusant la symétrie des rangs québécois, les allées de grands arbres et la riche verdure ceinturant les «homesteads», les bâtiments accrochés aux pentes n'offrant qu'un petit pan de mur au vent dominant. Et partout le bois, noble matériau, utilisé en maître: poutres, toitures de bardeaux, murs, galeries. Ces gens ont joué avec la patine, le vieillissement naturel, avec les blancs éclatants, les ocres rouges, les verts, pour finalement créer un paysage rural unique au Québec.

À Cascapédia deux ou trois ensembles agricoles de forte taille présentent cet aspect de cour intérieure en arc de cercle. Celui-ci est voisin de l'épicerie Kerr.

Il faut voir Grand Cascapédia, ses vieux magasins, ses deux grands ensembles aux bâtiments formant une cour intérieure, l'un à côté de l'épicerie Kerr, l'autre au delà de la voie ferrée. Il faut pousser jusqu'à la dernière vallée habitée, presque aux limites de la forêt sur la route qui mène vers le parc. L'une des dernières fermes, sises au bord de la rivière, semble disparaître sous les moissons de sa niche encaissée. L'un des secrets des agriculteurs locaux fut d'utiliser longtemps comme engrais la marne* blanche du lac à l'Oie, sis entre le deuxième et le troisième rang. Commencée par Narcisse Leblanc, dit-on, cette pratique s'étendit aux voisins. Puis finalement, vers 1900, on fabriqua une pelle spéciale suspendue à un palan et reliée à un treuil. L'extraction s'effectuait l'hiver, sur la glace, à l'aide de chevaux. Le gel réduisait en poudre cette argile fortement calcaire et on pouvait l'étendre ensuite sur les champs à l'aide de l'épandeur commun, au moment des semences. Cette pratique qui abaissait l'acidité des sols et les rendait ainsi plus fertiles contribua à étendre le renom des fermiers de New Richmond.

La vallée inférieure de la Cascapédia offre sécurité, charme et plénitude à tout ce qui vit et respire.

Il faut passer aussi sur ce pont bizarre qui enjambe, comme à saute-mouton, la grande Cascapédia. Datant du début du siècle et conçu, il va de soi, pour les véhicules à traction animale, il permet au train, au piéton et aux voitures de traverser l'un au-dessus des autres en de savants zigzags. D'ici vous poussez une pointe jusqu'à la vallée de Beauglen qui recèle des ensembles impressionnants.

Une dernière excursion consiste à remonter le cours de la petite Cascapédia sur la rive ouest jusqu'à Saint-Edgar et d'en revenir par la rive est. En passant, vous ne pourrez manquer le superbe camp Mélançon et la fosse Thompson. Toutefois, pour y pêcher le saumon, il faut préalablement avoir reçu l'autorisation du bureau du MTCP à New Richmond. On peut aussi taquiner la truite de mer qui fréquente cette rivière, c'est une pêche méconnue. Au creux de sa vallée, Saint-Edgar semble une oasis. On s'en détache à regret surtout après avoir emprunté le tout nouveau sentier d'observation de la nature qui longe la rivière à la sortie du pont couvert. Les champignons abondent dans le sous-bois. Munissez-vous d'un bon guide illustré.

Un personnage fabuleux et omniprésent dans cette région mérite maintenant toute la place: Sa Majesté Salmo Salar, le roi des poissons.

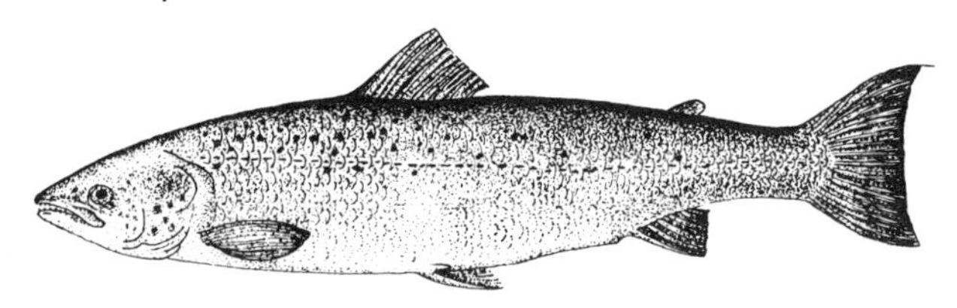

La pêche au saumon

Le saumon de l'Atlantique *(Salmo Salar Salar)* a toujours été le roi des rivières: sa fougue, sa rapidité, sa force ont fait de lui un lutteur sans égal. Les Amérindiens en dépendaient largement pour leur subsistance printanière et le pêchaient à la foëne, à la lueur des torches au pied des chutes. Avant la venue des Européens, et avant la pêche intensive qu'ils firent, le saumon remontait de la mer jusqu'aux Grands Lacs, frayant dans la plupart des rivières aux eaux vives et oxygénées, sur les lits de sable et de gravier. Des pêches (filets tendus) à saumon sont ainsi signalées aux XVIIe et XVIIIe siècles d'Anticosti à Saint-François-du-Lac, de la Côte nord du golfe Saint-Laurent à Portneuf; mais la plus célèbre rivière de toutes, la Jacques-Cartier près de Québec, fut la première à attirer des pêcheurs sportifs, dès le début de 1800. Ces disciples de Walton, officiers de l'armée britannique et fonctionnaires de l'État, implantèrent peu à peu les traditions irlandaises et écossaises en sol (ou en rivière) québécois. Tout au long du XIXe siècle, ils poussèrent toujours plus loin à l'est de Québec la passion et l'art de la pêche à la mouche, au fur et à mesure que de nouvelles rivières devenaient accessibles ou que d'anciennes devenaient improductives.

Dans la baie des Chaleurs et dans la vallée de la Matapédia où l'on dénombrait quelques-unes des meilleures rivières d'Amérique (la Restigouche, la Matapédia, la Cascapédia, la Bonaventure), les pêcheurs riverains tendaient leurs rets avec succès jusqu'au moment où le gouvernement, vers 1871, commença à céder celles-ci à de riches concessionnaires, souvent américains. Le commerce et le sport entrèrent alors en un conflit qui dure encore: il est vrai que certaines conserveries de la baie expédiaient aux États-Unis jusqu'à 100 000 kilos de saumon en boîtes par saison; vrai également qu'après l'arrivée de l'Intercolonial, le saumon sur glace fut en grande demande au centre du pays (à 2 shillings le kilo, soit quatre fois plus cher qu'en conserve). En fait c'est l'impact causé par l'ouverture de la Gaspésie aux appétits de l'extérieur et par les transformations sociales de l'époque qui ne trouva aucun écho dans une réglementation adéquate. Les préoccupations écologiques ou démocratiques viendraient beaucoup plus tard, un siècle après environ, et l'emportèrent le plus souvent les droits des plus forts sur des richesses naturelles qu'on estimait alors inépuisables.

Depuis la fin du siècle dernier jusqu'au moment où le ministère du Tourisme, de la Chasse et de la Pêche du Québec prit lui-même en charge les deux rivières Cascapédia, des centaines de pêcheurs d'élite vinrent en toute quiétude s'adonner à ce loisir de grande classe. Des chalets luxueux, des guides et des équipements sophistiqués rendaient le séjour agréable pour ne pas dire princier:

«C'est à New-Dureen et à quinze milles au delà, au camp Middle, que je pêchai dans la Cascapédia. Le premier de ces camps avait été établi par le marquis de Landsdowne alors qu'il était gouverneur-général et que la pêche dans une partie de la rivière lui était réservée.

«Middle Camp est une maison de bois avec une grande véranda où l'on brûlait sans cesse des feux étouffés dans des seaux à cause des mouches. En me réveillant le matin à New-Dureen, quand le serviteur noir entra dans ma chambre, je le vis à ma grande surprise, à travers la mousseline de ma moustiquaire, déplacer le tapis du plancher et soulever une grande trappe sur des charnières. J'entendis alors l'eau couler et je compris qu'il me préparait mon bain sous le plancher. C'était vraiment très pratique car aucune éclaboussure n'était possible dans l'espèce de puits qui me servait de baignoire. Quand je tirai la vidange, je suppose que l'eau s'écoula tout simplement dans le sol, sous la maison ou qu'elle était conduite un peu plus loin.(. . .)

«Les rives de la Cascapédia sont si abruptes et si boisées qu'il faut amener tous les poissons à la gaffe dans le canoe. En conséquence, il est préférable de se servir d'une canne courte et tous les membres du Club emploient une canne Léonard de onze pieds de long comme ils le font d'ailleurs aussi sur le Restigouche. Personne ne guée les rivières où je pêchai, aussi n'a-t-on point besoin d'une longue canne; d'ailleurs il serait absolument impossible de guéer dans la Cascapédia. On ne se sert que de la mouche et c'est le seul engin nécessaire. On emploie d'assez grandes mouches pour la pêche d'été et je regrettai de ne pas avoir apporté toute ma collection de grosses mouches. Je remarquai qu'on se servait parfois de la taille 7 /0 et 8 /0. Tous les modèles britanniques connus sont en usage au Canada ainsi qu'un ou deux modèles locaux, mais il semble que le modèle importe peu et que les résultats ne varient guère en changeant de modèle. (. . .) Tous les canots dont on se sert dans la province de Québec sont merveilleusement construits en bois et sont pourvus d'un siège bas au centre qui permet de pêcher assis.»

Et que faisait-on du surplus des saumons capturés? On l'expédiait sur glace aux amis éloignés.

«C'est là que se trouvait le débarcadère le plus proche de la station de chemin de fer de Matapédia et tous les canoes qui descendaient la rivière, en ramenant des saumons, y déchargeaient leurs cargaisons. Un wagonnet emportait

ensuite les poissons à la salle d'emballage du club. Parfois les hommes qui amenaient le poisson ramaient depuis trois ou quatre heures du matin et s'étaient mis en route au clair de lune. Ils chargeaient environ soixante-dix ou quatre-vingts poissons dans un canoe; une fois au club, on plaçait ces poissons dans des caisses en bois, une caisse par poisson et on y empilait de la neige après avoir inscrit dans un registre le poids du poisson et les noms et les adresses des destinataires.

Un trophée du début du siècle.

«C'était toujours des cadeaux destinés à des amis habitant New York, Washington ou d'autres endroits. (. . .) Une pièce de 43 livres fut en fait la plus belle prise durant mon séjour et je la photographiai bien qu'elle n'eût pas une forme parfaite. La moyenne pour la Cascapédia est de 23 livres, mais pour le Restigouche, elle doit être 20 livres car nous prîmes bon nombre de jeunes poissons pesant environ 12 à 16 livres[5].»

---

5 W.L. CALDERWOOD, les Saumons, p. 28-29.

Ainsi s'exprimait l'ancien inspecteur des pêcheries de saumon d'Écosse, lors d'une tournée au Québec il y a quarante ans. Aujourd'hui les Québécois peuvent pêcher à leur tour dans la Cascapédia (réservations au bureau du ministère du Tourisme à New Richmond) mais pour combien de temps encore? Le saumon au poids record de 54 livres ne se voit plus depuis longtemps. Par les méfaits conjugués de la pollution, de l'érosion, du flottage, du braconnage, le saumon serait-il en voie de passer à l'histoire?

Foyer 2
De Caplan à New Carlisle

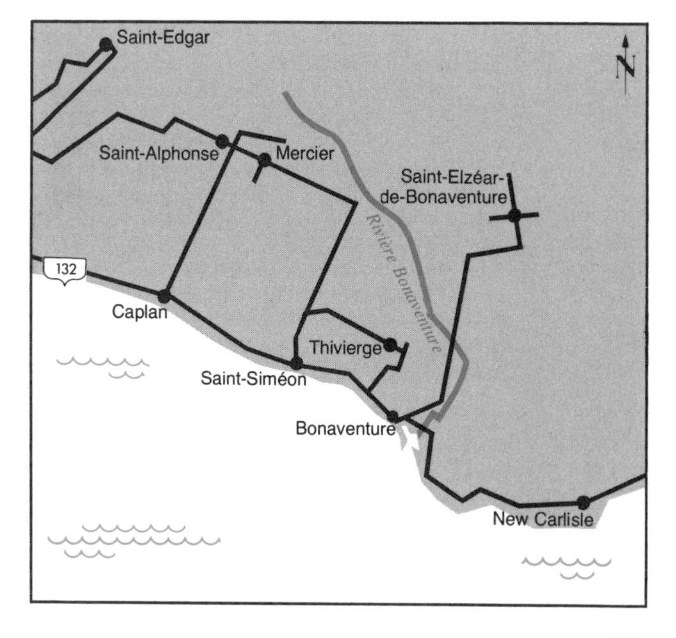

Introduction

Cette portion du comté de Bonaventure offre un paysage relativement calme. La falaise littorale qui borde presque toutes les terres de la baie des Chaleurs s'abaisse progressivement depuis Caplan jusqu'à disparaître à l'approche de Bonaventure. Le pays agricole qui s'étend derrière Caplan, Saint-Siméon et Bonaventure prend presque l'allure d'une plaine; les dénivellations y sont en effet très faibles et l'altitude augmente régulièrement à mesure qu'on progresse vers l'intérieur. En soi, ce terroir devait être propice à l'agriculture, en particulier la bande de terrains jadis recouverte par les eaux de la mer de Goldthwaït. L'oeil observateur découvrira d'ailleurs d'anciennes lignes de rivage jusqu'au niveau de 60 mètres environ. Cependant, il n'y a pas ici ce découpage marqué en terrasses qui caractérise la zone littorale de Saint-Anne-des-Monts, par exemple.

La géographie du littoral

En quittant New Richmond, le paysage littoral prend du caractère; il s'élève soudainement. L'agriculture est d'ailleurs sur ses gardes, elle évite les pentes trop fortes et les sols minces. Cette zone, dont les caps Noirs sont l'extrémité, correspond à une formation rocheuse qui, de l'intérieur des terres, s'insère en coin entre les roches rouges de la formation de Bonaventure. Du quai qui prolonge la pointe Howatson, derrière le village de Black Cape, on peut d'ailleurs observer la coupe que l'érosion marine a effectuée dans ces roches dures. Si le temps et la marée le permettent, vous pourrez explorer le rivage jusqu'aux caps Noirs. Vérifiez bien les heures de marée, car à marée haute et par gros temps les vagues envahissent l'étroite plage de sable et de galets et vont buter contre la falaise. À partir d'ici, la mer commence à être particulièrement agressive.

Depuis le quai jusqu'au delà des caps Noirs, la falaise nous laisse voir des roches sédimentaires qui ont été soulevées, plissées et faillées, des roches d'origine volcanique s'y sont intercalées; plus anciennes que les roches rouges de Miguasha et de Bonaventure, elles résistent mieux à l'érosion: l'éperon des caps Noirs et l'élévation momentanée des terrains en témoignent. Vu des airs, le profil de la côte est aussi moins régulier qu'ailleurs, il est plutôt dentelé.

Dès que s'amorce la descente vers Caplan, le paysage change complètement. Une zone de basses terres, presque une plaine, s'offre à nos yeux. La ligne d'horizon vers l'est a l'allure d'une pente très douce qui vient mourir dans les eaux de la baie des Chaleurs. C'est un paysage assez étrange auquel la publicité touristique ne nous a pas habitués. On dirait une demi-cuvette dont le centre serait la région de Bonaventure et dont les rebords se relèveraient vers Caplan à l'ouest, Shigawake à l'est et l'arrière-pays au nord. En effet la falaise littorale relativement élevée à Caplan s'abaisse progressivement vers Bonaventure où s'étale une vaste zone de terres très basses. Par la suite, la côte se relève lentement vers New Carlisle et Paspébiac.

L'élément le plus spectaculaire de ce paysage, c'est sans doute cette falaise rouge qui accompagne presque sans se lasser le littoral de la baie des Chaleurs. D'une certaine façon cette falaise constitue une barrière entre la mer et la terre. Jusqu'à récemment, les riverains n'ont pas cherché à lutter contre cet obstacle, leur génie les a plutôt incités à utiliser des accidents naturels pour accéder à la mer. Rares sont les tranchées, creusées par les rivières et les ruisseaux, qui ne conduisent pas ou n'ont pas conduit dans le passé à un port de pêche. D'une part les sédiments amenés par les rivières ont permis l'édification naturelle d'une plage plus large, et d'autre part les pentes moins raides qui bordent ces cours d'eau permettent d'établir facilement des chemins d'accès entre la terrasse supérieure et le rivage.

Ces roches rouges de la formation de Bonaventure, comté où elles sont le mieux représentées, colorent tout le paysage: les grèves sablonneuses, les champs fraîchement labourés et même la mer lors des tempêtes. Certains bâtiments sont quelquefois décorés ou même construits avec cette matière première si abondante, mais malheureusement assez friable.

Vous l'aurez sûrement observé autour des quais, ces falaises montrent une succession de couches plus ou moins épaisses de grès (grain fin) ou de conglomérat (gros cailloux). Ces couches sont restées dans la position où elles se sont déposées, c'est-à-dire qu'elles n'ont pas été plissées ou cassées par la tectonique. Cette quasi-horizontalité des couches permet à l'érosion littorale de les attaquer plus efficacement; l'action mécanique des vagues et l'action chimique des sels en suspension dans l'air conjuguent leurs efforts à la base de la falaise et la grugent à un ryhtme très rapide. Les courants littoraux qui transportent plus loin les produits de l'érosion permettent aux vagues de conserver leur puissance d'attaque contre la paroi rocheuse.

En mettant en rapport une carte géologique de la région et une carte d'utilisation des sols, on constate qu'il y a une correspondance presque parfaite entre les espaces densément cultivés et la zone occupée par les roches de la formation de Bonaventure. Vous l'aurez observé dans la falaise littorale, les couches rocheuses de cette formation sont presque horizontales tout comme les terrains qui s'allongent derrière cette falaise. La qualité des sols et la douceur du climat alliées à une surface topographique à faible relief préparaient donc à cette région une vocation agricole pleine de promesses.

Malgré son potentiel agricole, la région fut pourtant occupée d'abord par des pêcheurs qui, sous le régime français, vivaient en saison sur le barachois de Bonne Aventure, ainsi nommé du nom d'un navire français entré dans la baie en 1591. Des familles acadiennes vinrent s'y installer en 1760 et constituèrent peu à peu le noyau permanent de Bonaventure qui devint vite une agglomération populeuse et prospère. L'exploitation des grands cèdres de l'arrière-pays et de grandes scieries surgies au cours du XIXe siècle contribuèrent à l'aisance des résidents. De fait ce centre de la baie des Chaleurs fut presque toujours populeux, actif et très engagé politiquement.

Quant à New Carlisle, capitale administrative de la baie par la volonté du gouvernement colonial anglais, elle conserva toujours ce visage aristocratique et calme que ses premiers résidents lui imprimèrent. Fondée par les loyalistes, la ville connut tôt un développement rationnel et ordonné, où juges, officiers de douanes, gens de robe et fonctionnaires se trouvèrent à l'aise. Le contraste avec Bonaventure est pour le moins frappant.

Entre ces deux pôles d'influence, s'échelonnent plusieurs hameaux et localités dont l'histoire et l'implantation résultent d'initiatives peu communes (colonie belge, rang acadien, défrichement du XXe siècle), du moins aux yeux de l'étranger.

On ne peut échapper, dans ce foyer, à l'originalité des établissements agricoles non plus qu'à la vie insoupçonnée de ces longues plages et, en particulier, de ces barres de sable que le passant ne voit hélas! que de loin. Il faut vous y attarder, ne serait-ce qu'une journée.

Caplan

Une tradition veut que les premiers colons venus s'établir. ici aient trouvé un Indien du nom de Jean Caplan. Par ailleurs, à chaque printemps, des bancs de capelans viennent frayer par millions près du rivage, au point que la vague les fait rouler. On se servait de cette manne pour bouetter* (appâter) la morue ou pour engraisser les champs, et le nom est resté à la localité.

Ces premiers colons venaient de Bonaventure et ils vécurent d'abord de la pêche: c'était vers 1812. En fait, le schéma des établissements riverains fut identique presque partout: seuls les produits de la mer trouvaient facilement et rapidement un débouché, les grands et petits commerçants de morue sèche, de hareng et de saumon salés achetant les prises de tout pêcheur. Et tant que l'agriculteur s'établissait, construisait, défrichait, la pêche lui restait possible, comme survie ou comme complément. Tout au long du XIXe siècle, la culture du sol demeura une activité d'autarcie. Ce ne fut vraiment qu'après 1910, grâce à la création des beurreries et fromageries, grâce aussi au chemin de fer et à l'arrivée d'une nouvelle population, que l'agriculture intensive put démarrer. Eugène Rouillard et Alfred Pelland situent vers ce temps le virage important que connut l'agriculture dans la baie des chaleurs.

La tournée des rangs derrière Saint-Charles-de-Caplan méritait cette introduction. Il n'y a pas que «Rome qui ne se soit bâtie en un jour». On peut imaginer combien d'étapes, de sueurs et d'efforts il fallut à des générations de résidents avant d'obtenir cet aspect final et achevé qui frappe au premier contact avec les plus beaux terroirs de la baie où nous nous rendons maintenant. Ce que nous allons y voir est symbolisé par l'évolution de ce magnifique magasin général Gendron, tout à côté de l'église de Caplan. L'immeuble en a franchi des étapes avant de devenir ce qu'il est: il y eut d'abord une maison dans le seul bâtiment de gauche, puis un petit magasin au-devant, finalement on édifia l'habitation de droite qu'on relia à ce qui est maintenant le magasin. Un épais lierre grimpant s'accroche aujourd'hui à la façade, comme un bouquet final à des bâtiments d'une propreté resplendissante; bref, l'ensemble dénote un sens esthétique bien mesuré. Y resteront-ils insensibles — à moins d'en être totalement dépourvus! — ceux qui menacent de faire disparaître ce précieux témoin... rien que pour élargir la voie qui nous engouffre à Percé?

Les cours sont parsemées de petits bâtiments fonctionnels: boucaneries, remises, latrines, poulaillers, et cordes de bois qui sèchent au vent d'été. Chez Léonide Cyr 2e rang de Caplan.

Mais revenons à notre tournée. Selon le moyen de transport que vous choisissez, il peut être utile de commencer par Saint-Alphonse et Mercier-de-Caplan. Ensuite vous pouvez revenir au second rang de Saint-Charles et rouler vers l'est pour déboucher derrière Saint-Siméon.

Saint-Alphonse et Mercier

Qu'y a-t-il à Saint-Alphonse? On a appelé ce coin «la petite Belgique» parce que vers 1891 une colonie d'émigrants vint s'y établir. Un père rédemptoriste belge, Henri-Joseph Mussely, arriva de fait en ce lieu, accompagné d'une vingtaine de familles de ses compatriotes. Ils commencèrent les défrichements, courageusement. Hélas! rebutés par le climat trop rude, trouvant trop courte la saison des cultures, ils abandonnèrent la tâche et quittèrent la région. Seules deux ou trois familles, les Brinck, les Ouraet et les Mussely, s'établirent autour de Caplan.

Aussitôt les défricheurs de la baie les remplacent. Arrivent les Leblanc, les Cyr, les Audet qui, remettant la cognée au manchon, réussissent à créer ce village là où n'était que forêt. Surtout agricole au début, le rang se tourne mainte-

À Mercier-de-Caplan, le tiers d'une grange étable rappelle l'art et le génie des premiers défricheurs.

nant vers les ressources forestières pour rencontrer les exigences présentes. Le moulin à scie et son «enfer» typique sont là, à l'entrée du village, pour en témoigner. Quel sort l'avenir réserve-t-il à ces milieux agro-forestiers?

Il vaut la peine d'emprunter le rang du village de part et d'autre de l'église et surtout de pousser plus à l'est, jusqu'au cul-de-sac. Là on voit une minuscule maison jaune et ce qui reste (le tiers) d'une grange-étable en rondins aux encoignures taillées en triangle. Voici le gabarit courant des premières maisons de défricheurs, voilà comment est née la Gaspésie, voire tout le Québec, à l'origine de ses défrichements. Imaginez à loisir la vie et les misères quotidiennes de nos familles, semble dire au passant ce témoin, moins muet qu'il ne semble. Il suggère de nous le rappeler, sur le chemin du retour par le second rang de Saint-Charles. Puis, entre-temps, qu'est-ce qui vous empêche d'aller pique-niquer sur les bords de la rivière Bonaventure? On prend le chemin de gauche peu après la maison et la grange.

Le magasin général Gendron à Caplan.

Le plus beau terroir de la baie

Ce second rang qui va de Caplan à Saint-Siméon rappelle à la fois les belles terres du Saint-Laurent avec son alignement, la place de ses boisés, la route qui se moule aux accidents naturels et pourtant présente un visage particulier, original, unique. Nous avons observé quatre modèles différents de clôtures en pieux de cèdre, l'une dite «à billochet», d'origine fort ancienne. Sur le plan architectural, la plupart des maisons ont un carré moyen et ne possèdent qu'une lucarne centrale, dont la toiture se prolonge souvent jusqu'au larmier du toit principal: influence néo-classique du milieu du XIXe siècle. Par contre, nombreux sont les appentis, les rallonges, les bas-côtés, les cuisines d'été flanquées harmonieusement aux pans arrière ou nord-est, et cela est proprement gaspésien: c'est-à-dire que les besoins ont fait renfler le corps de logis de façon très partielle et fonctionnelle, en plusieurs directions au lieu de faire s'allonger dans son axe le carré primitif. Autre milieu, autres usages!

Alignement extraordinaire des bâtiments dans le 3e rang de Saint-Siméon.

On peut noter aussi la multiplicité des petits bâtiments, savamment répartis dans l'aire de travail: le fumoir à hareng, la laiterie, la soue, le poulailler ensoleillé, la remise, les vieilles «bécosses». Les granges-étables présentent un long pan au soleil du sud et le mur latéral étroit aux norouêt et nordet. Plusieurs bas-côtés servent aussi d'entrave* aux vents dominants. Notez bien, au passage, les grillages d'aération qu'on aperçoit au-dessus des doubles portes des granges. Au delà de Saint-Siméon, cette ouverture est communément remplacée par une baie vitrée qui laisse entrer la lumière. D'où vient cet usage? Comment l'interpréter? Le trouve-t-on ailleurs au Québec? Avis à l'ethnographe amateur . . . Enfin, le souci d'ouvrir l'espace, de laisser la tempête balayer la neige de la cour est constant partout. Mais jamais nous n'avions vu un alignement (cinq bâtiments) aussi exagéré que celui du troisième rang de Saint-Siméon.

Et presque partout le bois de chauffage, coupé en décembre, sorti en janvier et fendu en février qui sèche au vent avant d'aller s'empiler bien cordé dans les abris semi-ouverts. Par économie, par tradition ou par goût, ces ruraux ont su adapter les anciens usages aux nouveaux — ne voit-on pas déjà les foins ramassés selon les plus récentes techniques? Ils nous donnent une leçon de gestion de patrimoine et d'écologie. Il n'y a pas si longtemps on engraissait la terre avec le hareng, ou même ses oeufs, avec le capelan, et surtout avec le varech ou goémon*, les algues brunes, qu'on ramassait sur les grèves.

Deux modèles, deux traditions. Clôture en chicane et clôture à billochet. Dans le 2e rang de Caplan.

Ainsi chez Léonide Cyr du 2e rang de Caplan, on a longtemps semé les patates comme ceci: une patate — un hareng, une patate — un hareng. Mais aujourd'hui, c'est tout juste si les pêcheurs en trouvent pour bouetter la morue, tandis qu'autrefois «on marchait d'sus». Il n'était pas rare de voir une lisière d'oeufs de harengs de plusieurs pieds d'épaisseur s'étendre sur un kilomètre de plage . . . Maintenant, il faut se le procurer congelé chez les Pêcheurs unis.

Ensemble agricole de type courant: la maison a une taille moyenne et une lucarne centrale. La grange est flanquée d'appentis. 2e rang de Saint-Siméon.

Le hareng

En bancs serrés contenant des millions d'individus, les harengs pénètrent au printemps dans le golfe et l'estuaire du Saint-Laurent, longeant les côtes, se faufilant dans les baies, contournant les pointes où des pêcheurs riverains l'attrapent encore dans leurs grandes pêches à fascines*. Il fut une époque où l'abondance de plancton*, la salinité de l'eau et d'autres conditions essentielles permettaient d'en capturer jusqu'à L'Islet, un peu à l'est de Québec: des pêcheurs se rappellent ce temps où ils «marchaient» sur des masses de poissons de deux mètres d'épaisseur. Ici, dans la baie des Chaleurs, c'est à l'aide de filets qu'on le capturait:

«On étendait un long filet du platier au large. Quand le poisson donnait, les filets s'emplissaient à se rompre. Le hareng venait à la côte, sur le rivage pour ainsi dire, afin de raver*. Plusieurs le seinaient en l'encerclant avec une longue seine* tirée souvent par un cheval (. . .)*

«Certaines personnes achetaient les filets qui venaient d'Angleterre. Nous, nous les faisions chez nous. Mon père avait un grand hangar qu'on appelait le magasin. Il y avait un poêle carré. C'était grand et il y avait de l'arse assez. On achetait le fil. Puis, chacun, muni d'un moule et d'une aiguille spéciale, s'attelait à sa tâche. C'était un vrai métier qu'il fallait apprendre. En même temps, c'était la besogne du Carême (. . .) On passait une baguette entre deux gances de cuir. On montait le filet sur une brouette en discernant bien les mailles. On commençait tôt le matin et, si on voulait faire trois brasses par jour, il ne fallait pas s'amuser. Les filets à hareng et à éperlan avaient des mailles plus petites et ça prenait une infinité de temps pour les faire. On en avait le dos tout d'une pièce et voûté. (. . .) Nous avions 21 filets de 21 brasses de long[1].»*

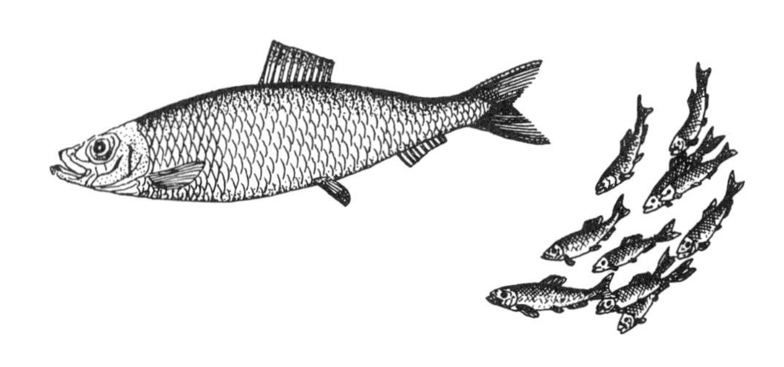

1 *Les souvenirs de Marie-Dina Arseneau (1846-1951)*, colligés par Catherine Jolicoeur, *Revue d'histoire de la Gaspésie*, vol. XV, no 2, p. 93 ss.

En plus de constituer une ressource saisonnière d'appoint pour les agriculteurs riverains de la baie, le hareng du printemps signifiait aussi l'arrivée de la morue. Effectivement le hareng est un maillon très important de la chaîne alimentaire d'espèces marines de plus forte taille: saumons, morues, flétans le suivent d'assez près et l'abondance de l'un équivaut souvent à l'abondance des autres.

Les morutiers connaissent depuis longtemps la vertu d'appât de ce poisson au ventre argenté et s'en servent pour «bouetter» les lignes de fond et les lignes à main. Afin de renouveler quotidiennement sa provision d'appât, chaque pêcheur de morue possède un ou deux rets* tendus près du rivage et amarrés à des bouées, qu'il visite tous les matins. Pourquoi le matin? Parce que le jour le hareng fréquente les fonds marins tandis que la nuit il monte à la surface; les filets tendus entre deux eaux l'emprisonnent et le pêcheur va le cueillir sans tarder pour s'en servir le lendemain, et ainsi de suite.

La nature a destiné le hareng à servir de proie aux autres espèces; non seulement est-il visible facilement à cause de sa couleur brillante, mais il est faible, sans défense, sans protection contre ses prédateurs et, à peine sorti de l'eau, il meurt rapidement. Seule son incroyable capacité de reproduction (30 000 à 45 000 oeufs adhérents qui éclosent en 9 jours) lui permet de perdurer en dépit de ses poursuivants nombreux: anguilles, saumons, flétans, morues, canards, etc. À pleine maturité, il peut atteindre la longueur de 45 centimètres et le poids de 0,7 kilo. Au stade juvénile, il passe pour une sardine et est confondu comme tel dans le bas Saint-Laurent.

Salé, fumé, mariné, bouilli, le hareng a joué autrefois un rôle important comme aliment de réserve et comme ressource saisonnière. Sa vertu gastronomique semble plus grande chez les Européens, les Scandinaves en particulier, que chez les Québécois qui ne lui manifestent pas trop d'intérêt. Pourtant la protection du hareng et surtout l'amélioration de ses conditions vitales favoriseraient l'écologie des espèces plus grosses qui en dépendent.

Jusqu'au XIXe siècle, la grande utilité du hareng fut de servir d'appât, de bouette, comme on dit ici et en France, pour la pêche à la morue. Certes il s'en faisait une consommation locale, mais le commerce avec l'extérieur n'en était pas organisé, du moins à grande échelle. Et pourtant les Européens, les Scandinaves en particulier, avaient largement étendu la demande pour ce poisson. Salé, fumé ou mariné, le hareng trouvait place sur la table de plusieurs nations.

Puis la demande s'accrut, en provenance des Maritimes, des États-Unis, des Antilles. Des entrepreneurs et des commerçants multiplièrent les marchés. Dans la baie des Chaleurs, les riverains s'organisèrent: entre Carleton et Bonaventure d'abord, puis un peu partout où les fonds marins et les plages facilitaient les captures massives. Lisons le témoignage de Marie-Dina Arseneau (1846-1951):

«Il y avait trois grandes pêches. Celle du printemps d'abord: on prenait le petit hareng au filet ou à la seine. On étendait un long filet du platier au large. Quand le poisson donnait, les filets s'emplissaient à se rompre. Le hareng venait à la côte, sur le rivage pour ainsi dire, afin de raver.

Fumoirs ou boucaneries à hareng. Les formes et les modèles varient selon les terroirs et sans doute aussi dans le temps.

À Shigawake, au fond de l'anse, à l'ouest du quai.

À Sainte-Thérèse-de-Gaspé, devant l'église.

Plusieurs le seinaient en l'encerclant avec une longue seine tirée souvent par un cheval. (. . .) Pour la pêche au hareng nous avions 21 filets de 21 brasses de long. Nous avions des flats et des dorés. Le hareng était éguibé, vidé et salé dans des quarts faits par nos tonneliers. Il fallait bien le saler et le paqueter serré. Souvent on en mettait dans de grandes cuves ou vats qu'on appelait fattes. Ce récipient pouvait avoir dix pieds en travers et trois pieds de haut. Il pouvait contenir dix à quinze quarts de harengs. Après avoir passé trois semaines dans une forte saumure, le hareng était à nouveau salé et remis dans des barils. On emplissait le baril de saumure par la bonde et on le chevillait juste avant de l'envoyer à Halifax.

«Au printemps, on employait le hareng comme engrais sur les patates; ou bien on en faisait fumer. Le caplan aussi servait d'engrais, tout comme les raves de hareng. L'odeur qui s'élevait des champs nous empestait.»

Le hareng fumé

«Au printemps, on fumait le petit hareng. Voici comment on s'y prenait. On construisait une petite bâtisse de dix pieds

Sur le deuxième rang de Caplan.

Dans le village de l'Anse-aux-Gascons. Ce modèle plus récent, cachait un poêle à double embranchement de tuyau dans la partie centrale.

carrés tout au plus, haute, sans fenêtre et une seule porte étroite. Dans le faîte, on rangeait des baguettes appelées alignettes. Sur la terre on étendait du son de scie de bois d'érable. C'était un boucan.*

«Le hareng, tout frais, était éguibé; c'est-à-dire qu'on enlevait seulement les ouïes. On le mettait dans une saumure forte pendant une journée ou deux. Il ne fallait pas le laisser au soleil avant de le saler, ensuite on l'étendait pour le faire sécher. Puis on l'embrochait sur les alignettes. On en enfile 25 en laissant un espace entre chacun afin qu'ils ne se touchent pas, car l'humidité les ferait pourrir. On place les alignettes dans le faîte du comble. Puis on allume le son de scie ou des copeaux de bois franc et on ferme la porte. Il faut entretenir le feu pour faire de la fumée pendant quinze jours ou un mois.

Ces pêcheurs procèdent avec lenteur et régularité au halage de la seine.
(Office provincial de publicité).

«On en boucanait une trentaine de quarts à tous les printemps et on les mettait en boîtes pour les expédier à Halifax[2]*.»*

Ressource saisonnière intéressante pour l'agriculteur, le hareng du printemps permettait aussi de compléter le cycle des travaux précédant les semences. Il a été enfin la nourriture de réserve de plusieurs familles, comme la morue sèche d'ailleurs, évitant souvent aux colons démunis ou

2 *Loco cit.*

malchanceux une gêne alimentaire certaine. Sa chair grasse et riche en calories a remplacé efficacement le lard à cette époque où les hommes s'adonnaient plus qu'aujourd'hui aux rudes travaux extérieurs.

On regrette toutefois qu'il soit presque disparu du menu régional. Son goût délicat ravirait certes le visiteur de passage. Nous avons pu identifier plusieurs types de ces fumoirs ou «boucaneries» tout au long de la baie. Ils rappellent un passé qui malheureusement s'évanouit avec le retrait graduel des immenses bancs de harengs, piégés sans conscience ni vergogne par des flottes de chalutiers. Apprenez à reconnaître ces fumoirs, les formes différentes que les gens leur ont données: ils participent eux aussi à la différenciation des terroirs de la baie: ils marquent le paysage.

Bonaventure

Avec Tracadièche (Carleton), le barachois de Bonne Aventure (comme on écrivait dans le temps) fut le lieu d'installation des familles d'Acadiens chassées de Beaubassin en 1755. En 1786, on y trouvait soixante familles, vivant surtout de pêche. Pourtant, les résidents de Bonaventure furent les premiers de toute la baie des Chaleurs à consacrer plus d'énergie à la culture du sol qu'à la pêche. Soit que les terres y fussent meilleures, soit que l'influence du clergé y fût plus grande, ce fut ici le noyau d'un régime d'exploitation plus stable et plus permanent, à l'image de la majorité des vieilles paroisses laurentiennes. Témoin, le premier moulin à farine de toute la baie qu'un nommé Day construisit en 1827 sur le bord de la rivière. Cette imposante structure de maçonnerie (l'une des rares en Gaspésie) attira de fort loin sur la côte les habitants qui croyaient rêver: de vraies moulanges de pierre! Le moulin marcha près d'un siècle, avant de disparaître.

En 1836, dans son *Journal de Voyages,* l'abbé Ferland note qu'à Bonaventure on pratique moins la pêche que l'agriculture, qu'on y a des écoles et que les gens y sont très religieux: Bonaventure est habité par des Acadiens à la physionomie douce et intelligente. La navigation, l'agriculture et la coupe des bois de construction occupent les «Bonaventuriens».

L'arrière-pays, avec la vallée de la rivière principale et les cours d'eau impressionnants des rivières Hall et Duval, recelait en outre les plus belles richesses forestières de toute la baie. Elles ne tardèrent pas à être exploitées: déjà Charles Robin, de Paspébiac, en avait trouvé le potentiel en 1767 et, plus tard, au début des années 1800, on s'en servit abondamment pour édifier les nombreux bâtiments du célèbre Banc de Paspébiac, siège de la «C.R.C.» (Charles Robin Co.) et des Le Bouthillier Brothers, comme on le verra au prochain foyer. Les immenses pins rouges et les cèdres aux proportions fantastiques étaient amenés par voie d'eau du fond de leur refuge séculaire jusqu'aux lieux de construction.

Dans Bonaventure au temps des trottoirs de bois.
(Archives publiques du Canada)

Des scieries virent le jour et les chantiers se multiplièrent dans l'arrière-pays jusqu'à une époque récente. Le havre de Beaubassin se remplissait de bois tous les printemps et des navires d'Angleterre venaient charger près de la côte. Du pont qui enjambe aujourd'hui ce havre, on voit les restes des moulins qui achèvent de disparaître sur l'île des Prés. Mais la forêt a tout donné... Nous ne les verrons plus ces merisiers qui donnaient des plançons «de trente pieds de long sur vingt pouces carrés», comme les décrivait l'arpenteur Legendre vers 1870. Ni ces «cèdres de dix-huit à vingt pieds de circonférence... et généralement sains», dont l'arpenteur O'Sullivan disait: «Je n'ai encore rien vu dans aucune partie de la province pour l'égaler en dimension, qualité ou quantité.» (J.-C. Langelier, 1885) Comme dans le reste du Québec, la baie des Chaleurs engraissa deux ou trois générations de «Barons du bois», heureux de trouver sur place une main-d'oeuvre réceptive, habituée à «trimer dur» et qui ne pouvait refuser le peu de «gagne» qui s'offrait l'hiver.

Plusieurs livres et albums souvenirs qu'on trouve sur place racontent dans le détail la vie et l'histoire de Bonaventure. Une visite au musée acadien s'impose également pour retrouver le cadre quotidien de la vie locale. Pour ceux qui voudraient flâner sur les bancs du barachois de Bonaventure et aussi arpenter les magnifiques plages de Pointe-Bonaventure à l'est, ils n'ont qu'à consulter à la fin du livre l'appendice portant sur la faune et la flore.

Le moulin Day, à Bonaventure, tel qu'il apparaissait encore vers 1918, sur une photographie. Construit vers 1827, il fut l'un des rares moulins à farine de toute la baie des Chaleurs et sa construction coïncida avec un virage important dans le régime d'exploitation des résidents, jusque là tournés davantage vers la pêche. Les cultivateurs vinrent y faire moudre, de cinquante kilomètres à la ronde. Il est malheureusement disparu.

New Carlisle

À n'en point douter, New Carlisle est différent. Les résidences y ont grande allure, entourées de fleurs, de bosquets, d'arbres. Les rues s'y coupent avec symétrie, les temples religieux y sont nombreux. Mais quelle ville est-ce donc? Déjà en 1836 elle suggérait à l'abbé Ferland qu'«on en pourrait dire, à plus juste titre que de Washington, que c'est une ville en promenade à la campagne».

De fait la tradition américaine loyaliste s'y transporta dans toute sa pureté avec des réfugiés des treize colonies autonomistes, arrivés ici après 1780. Ils s'appelaient Caldwell, Adam, Sherar, Bebee, Stearn, Munroe. Il vint aussi des Scott, Hamilton, Chisholm. Deux ou trois cents familles au total que la couronne britannique voulut récompenser de leur loyauté envers elle et qu'elle aida généreusement à s'établir en Gaspésie (Douglastown, Percé, New Carlisle, New Richmond, Carleton). Si le lecteur se rappelle bien l'histoire, la grande, il se souviendra que Londres poursuivait un double objectif en favorisant l'établissement des loyaux

New Carlisle vers 1865. D'après Thomas Pye. Notez la résidence Hamilton qu'on peut encore admirer.
(Collection: Groupe de recherches en histoire du Québec rural)

sujets de Sa Majesté dans le Canada fraîchement conquis: noyer les francophones parmi ces bons sujets britanniques et éteindre chez eux toute idée d'association avec les autonomistes des États-Unis. D'où l'origine en plusieurs autres régions du Québec (Berthier, Cantons de l'Est, sud-ouest de Montréal) de ces îlots de souche britannique, de même, bien sûr, que la création de ce Haut-Canada, devenu l'Ontario. Mais finalement, la floraison québécoise et acadienne devait déjouer ces objectifs. Si bien que, dans la baie des Chaleurs, numériquement tout au moins, les loyalistes demeurèrent en minorité.

Revenons à New Carlisle. Ainsi donc la couronne accorda à ces familles américaines de vastes concessions de terre, gratuitement. Elle fournit les outils, l'équipement, les semences, et jusqu'aux provisions pour trois ans. En tout, 82 000 livres sterling dont l'abbé Ferland rapporte, en 1836, qu'on se demandait bien alors où avait pu aller cette somme puisque rien n'apparaissait à la surface du sol qui justifiât la dépense. Voici comment un témoin de l'époque, Isaac Mann, raconta l'installation de sa famille en 1784:

La somptueuse résidence des Robinson Hamilton, construite vers 1860 à New Carlisle. Architecture coloniale américaine.

«Il dit en substance que durant l'automne de 1784, son père, colonel de milice, ses frères, lui-même et leurs familles, en tout dix-huit personnes se fixèrent à New Carlisle. Il y avait alors environ 250 familles de loyalistes établies à New Carlisle et à d'autres endroits de la baie des Chaleurs et à Douglastown, dans la baie de Gaspé. Aussi 60 à 80 soldats réformés.

«Il fut alloué à chaque chef de famille et à chaque homme fait 200 acres de terre, et à chaque femme, fille et enfant, 50 acres. À New Carlisle, il fut tracé une ville en lots d'une acre, lesquels furent distribués entre les chefs de familles et les hommes faits. Parmi ces derniers étaient inclus les garçons de 16 à 18 ans et au delà. Sur ces lots, les loyalistes bâtirent des maisons pour leur résidence. L'arpentage des terres commença en l'automne de 1784 et se continua jusqu'en 1787, alors qu'il fut établi un comité des Terres, composé du lieutenant-gouverneur Cox, Charles Robin, Isaac Mann jr, etc. Ce comité donnait les billets de location pour les lots de ville et de culture. Sa Majesté accordait des rations à chaque homme et à sa famille pendant trois ans, et en plus de cela, le Roi et la Reine fournissaient généreusement ce qui était nécessaire pour les habillements, les lits, etc. ainsi que des instruments d'agriculture, et tout ce qui était nécessaire pour défricher des terres et les bâtir[3].»

Plusieurs se découragèrent et partirent pour le Haut-Canada. D'autres réussirent à merveille. New Carlisle devint aussi le chef-lieu du comté. Le gouverneur de la Gaspésie (ce poste plus ou moins honorifique que la Chambre abolit en 1831) y eut une résidence dès cette époque, confirmant le caractère administratif de la ville: palais de justice, prison, bureau des douanes, cabinets de magistrats . . .

Il y avait eu un peu de pêche autrefois sur la grève, le lieu étant alors appelé Petit Paspébiac, mais la bonne société de la nouvelle ville ne s'accommodait guère des odeurs de morue et favorisa plutôt le commerce du bois, les affaires

---

3 Isaac MANN, jr, témoignage cité par Alfred PELLAND, *la Gaspésie,* p. 32.

de cour et la politique. Un moment, au début du siècle, New Carlisle rivalisait avec Carleton comme site préféré d'une grande bourgeoisie à la recherche de bains de mer et de bonne société: des yachts luxueux ancraient dans la baie devant la petite capitale.

Vous aimeriez déambuler dans New Carlisle. Les résidences affichent un art de vivre à la fois discret et paradoxal, en plein coeur de ce pays à peine sorti de sa forêt. Les nombreuses chapelles rappellent la variété et la tolérance des religions: elles témoignent aussi par leur architecture de la civilisation galloise.

L'impression finale que laisse New Carlisle, celle d'une certaine aliénation, fait justement partie de l'histoire de la Gaspésie et aide à comprendre les tensions qui secouent encore ce pays. Il faut identifier et sentir profondément nos différences avant de les accepter.

Dans le cimetière de Saint Andrews à New Carlisle, les stèles trahissent les origines des occupants.

Foyer 3
De Paspébiac à Saint-Godefroy

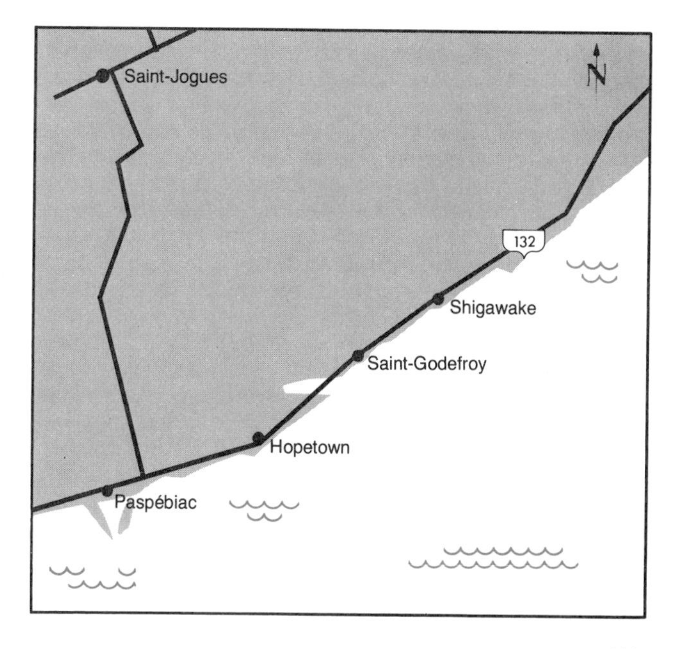

Introduction

Plus on tire vers l'est, moins la bande de basses terres cultivables est large. Les montagnes tendent à se rapprocher de plus en plus du rivage, poussant les résidents à tirer subsistançe des ressources marines. Et c'est précisément ce que firent les premiers Européens échoués sur ces plages. Ils furent, avant tout, pêcheurs.

Il faut dire aussi que les poissons fréquentaient autrefois en nombre incroyable cette zone privilégiée de la baie des Chaleurs: la rencontre d'eaux aux températures diverses, la présence de hauts-fonds et la richesse biologique des apports des rivières ont créé des conditions particulièrement favorables à la prolifération des espèces: hareng, capelan, maquereau, morue, saumon, homard, thon.

On ne se surprend donc pas de voir naître ici, dès le XVIIIe siècle, plusieurs postes de pêche sédentaire dont la célèbre maison jersiaise des Robin qui commença dès 1766 à construire un empire. Ce concept de pêche sédentaire (pratiquée par des pêcheurs résidents à l'année) avait été mis à l'essai au moins un siècle plus tôt, mais la majorité des pêcheurs venait encore à chaque printemps et s'en retournait avant l'hiver: c'étaient des Basques, des Bretons, des Portugais et, plus tard, aussi des Américains et des Canadiens venus de Québec. En fait la plupart des nations bordant l'Atlantique-Nord venaient puiser régulièrement la manne des eaux froides du golfe Saint-Laurent. Nous avons esquissé au début de ce volume le contexte qui entourait cette arrivée printanière et comment se faisait le partage des graves et des lieux de pêche.

Le paysage nouveau que nous abordons, en plus d'avoir connu une évolution différente du coeur de la baie, ranime également des souvenirs fort anciens: ceux des premiers découvreurs, ceux aussi, plus tristes, des naufrages connus ou présumés. En fait, nous quittons peu à peu l'abri naturel de la baie et nous approchons de la mer, de ses peines, de ses dangers et de ses légendes.

Paspébiac

Les Micmacs disaient Ipsigiag — pointe qui avance — en raison du curieux barachois en forme de triangle qui crée comme un port naturel. En venant de New Carlisle, il faut surveiller les trouées qui permettent de saisir d'un seul coup d'oeil l'ensemble du barachois: le tissu moderne du village ne le permet guère. En revanche, dès que l'on arrive au croisement de la route du quai, au coin du quartier commerçant, et que l'on s'engage dans la descente, le «banc» s'impose à l'oeil. Au touriste de passage, ces images ne rappellent guère de réalités, mais, pour un résident, elles évoquent toute une époque:

«Je reconnais les bicoques en bois fruste et sombrement gangrené par les intempéries, et les vaches misérables et les poules étiques: et, à califourchon sur les clôtures, la marmaille pâlotte et mal nourrie. (. . .) Au bas d'un cap polychrome, une longue pointe sablonneuse, dont le triangle se prolonge en aiguille très fine; avec un quai, de grosses barges, de vieilles bâtisses blanc et rouge et l'odeur omniprésente de la morue, morue fraîche, ou séchée, ou trans-

Paspébiac vers 1865. D'après Thomas Pye.
(Collection: Groupe de recherches en histoire du Québec rural)

formée en huile... C'est Paspébiac, premier centre de pêche, quartier général de l'ogre le plus indiscutable de la côte gaspésienne: la compagnie Robin, Jones and Whitman, ou mieux, comme on dit couramment: les Robin. Tout ce pays que nous traversons maintenant, et jusqu'à l'extrémité de la péninsule, c'était naguère l'empire des Robin. Ils y possèdent encore de nombreux comptoirs, de fidèles commis jersiais et un imposant chiffre d'affaires. Mais leur domination n'est plus: elle a été renversée par les sujets en révolte. Excédés, ils ont enfin trouvé, il y a quelques années, le seul contrepoison vraiment efficace: l'union et le travail en commun[1].»

Un pêcheur appâtant ses lignes.
Dessin tiré de: Alfred Pelland, *La Gaspésie*.

Ainsi s'exprimait l'actuel premier ministre du Québec, René Lévesque, natif de New Carlisle. Sa plume imagée et incisive est fidèle aux réalités historiques qu'il nous faut maintenant préciser. Descendez jusqu'au milieu du «banc», pro-

---

1 René LÉVESQUE, *Gaspésie, pays du passé, pays d'avenir dans le Canada*, vol. II-III, 3 et 4 septembre 1947.

menez-vous à travers ces vieux bâtiments délavés et, si vous n'êtes pas allergique à l'odeur du poisson, allez à l'usine (à l'est) respirer un peu ce milieu de travail de bien des Gaspésiens. De retour devant ce grand bâtiment blanchâtre dont la masse impressionnante domine de partout, le «B. B.» comme on l'appelle ici, lisez bien l'histoire qui suit. C'est celle des Robin, des «Paspeyas», de la Gaspésie tout entière.

Une histoire de morue

Un historien du Québec a déjà dit que le personnage le plus important de la Nouvelle-France avait été . . . le castor. En Gaspésie, ce fut sans conteste la morue. Et c'est en quête des bancs de morue que les pêcheurs de Normandie, de Bretagne et du pays basque abordèrent, aux XVe et XVIe siècles, sur les côtes de Terre-Neuve et dans les îles du golfe. Plus tard, les «découvreurs» officiels les y suivirent, animés par d'autres motivations que de remplir de poisson salé les cales de leurs navires. L'Europe catholique requérait

Un pêcheur lançant ses lignes à la mer.
Dessin tiré de: Alfred Pelland, *La Gaspésie*

pour le jeûne de ses nombreuses fêtes religieuses d'énormes quantités de poissons que les pêcheurs allaient capturer de plus en plus loin vers l'ouest. Aussi, quand la France prit possession des terres maritimes de l'est de l'Amérique, arrivèrent surtout des commerçants et des concessionnaires préoccupés de faire la pêche.

Parmi eux se trouvait Nicolas Denys, dont on a tracé la figure au début de ce volume. Denys nous a laissé de précieux témoignages sur la façon dont les pêcheurs procédaient pour capturer, «habiller*» et conserver la morue. Ces gestes et cette technique quatre fois centenaires ont survécu jusqu'à l'ouverture récente au marché du poisson frais, et survivent encore en quelques anses isolées, de plus en plus rares. Ce fut aussi le milieu matériel de tous les pêcheurs d'ici, du banc de Paspébiac, au temps des Robin. Il importe donc de le connaître.

Un pêcheur retirant ses lignes.
Dessin tiré de: Alfred Pelland, *La Gaspésie*.

1° Arrivée et logement des pêcheurs

«Les Charpentiers estant à terre, le Capitaine travaille à faire placer son navire le mieux qu'il peut & le bien faire amarer, puis laisse le Contre-maistre avec sept ou huit hommes pour le degarnir, tout de mesme que s'il estoit dans un havre en France pour y passer son hyver, il ne luy reste de cordage que les aubans qui servent à tenir les mâts debout, ces ordres donnez tout le monde va à terre.

«Y estas les uns vont pour travailler à terre au logement des pescheurs qui est comme une halle couverte d'une voile du navire, les côtez du bas tout autour sont garnis de branches de sapin entrelacez das des piquets ou pieux fichez en terre de quatre à cinq pieds de haut & où finit la voile des deux costez, à l'égard des deux bouts qui sont comme les deux pignons de cet édifice l'on y met des perches

Débarquement de la morue.
(Archives publiques du Canada)

de sapin distantes d'un pied l'une de l'autre, on les entrelasse aussi de branches de sapin que l'on serre le plus prés les unes des autres que l'on peut, en sorte qu'à peine le vent y passe; dans le milieu au dedans l'on met de grosses perches de bout, distantes l'une de l'autre de la longueur d'un homme qui supportent le faiste, l'on met d'autres perches par le travers que l'on cloue à chaque distance le tout en sorte que cela ne bransle point, & en font deux estages l'un sur l'autre où ils dressent leurs lits & couchent deux à deux; le fonds de leurs lits est de cordages qu'ils maillent comme une raquette, mais les ouvertures bien plus larges, & à chaque largeur de lit l'on met une perche qui fait la separation des deux hommes & qui empeschent qu'ils ne s'incomodent la nuit par leurs poids, qui autrement les feroit tomber l'un sur l'autre si les cordes qui en composent le fond n'estoient roidies par cette perche du milieu, leur lit est une paillasse d'herbe seche, leur couverture est telle qui leur plaist d'apporter, car beaucoup n'ont pour cela que leurs cappots. Pour leurs coffres ils les mettent le long de la palissage & de leurs lits; voilà le logement des pescheurs, à l'égard des dimentions de ce logement il dépend pour l'ordinaire de la grande voile du navire qui le couvre.

«Pendant que l'on travaille à ce logement d'autres travaillent à celuy du Capitaine qui se fait de la mesme sorte; mais il y a au milieu une cloison de perches les unes contre les autres, où l'on fait une porte qui ferme à clef, un costé sert pour mettre les victuailles, & l'autre là ou est sa table & son lit, à costé ou au dessus fait de cordages comme les autres, quelquefois il le fonce de planches, il a paillasse & matelats.

Une grève caractéristique: Port-Daniel.
(Archives publiques du Canada)

« D'un autre costé le Maistre-valet avec une partie des garçons travaille à faire la cuisine, qui est couverte de grands gazons de terre arrangés comme des tuiles les uns sur les autres, en sorte qu'il n'y pleut point, & de la couverture en bas, il y a tout autour des branchages de sapins entrelacez comme les autres que les garçons apportent de dans les bois aussi bien que pour tout le reste des logements; c'est d'ordinaire le Chirurgien qui a l'ordre de les faire aller aux bois, tout cela se fait à la fois & est achevé en deux ou trois jours bien qu'il faille aller chercher tous ces branchages & perches dans le bois, les apporter & les peler, de crainte qu'elles ne percent & gastent les voiles.

«Pendant que tout cela se fait le Maistre de grave & le Pilote, qui ont dix ou douze hommes avec eux sont au bois pour couper des sapins gros comme la cuisse, de douze, quinze, seize à vingt pieds de longueur pour faire leurs échaffaux & les logements, tous y travaillent, il les faut apporter jusques sur le bord de l'eau de sept à huit cens pas, & quelquefois de mil ou douze cens; car tous les ans l'on en coupe & les plus proches sont toûjours les premiers pris, il y a des endroits où il y en a esté tant couppé qu'il n'y en a plus, il faut qu'ils en aillent chercher à trois, quatre, cinq & six lieues, & quelquefois plus loin, il n'y a plus

L'habillage de la morue.
(Archives publiques du Canada)

gueres d'endroits où il ne les faille aller chercher au loin, ils y vont avec des chaloupes de trois hommes chacune qui vont & viennent jour & nuit qui n'en sçauroient porter plus de cinquante à soixante chacune, & de puis que l'on a commencé le travail il ne faut quasi plus parler de dormir, boire & manger qu'à la dérobée, sinon pour le souper, pendant que l'on charie tout le bois les autres travaillent à dresser l'échaffaut.

2° Comment on tire l'huile des foies de morue

«Pendant que ce travail se fait, d'autres sont employez à préparer ce qui est necessaire pour faire l'huile, ce qui se pratique de trois façons: La première est une forme de met comme celle d'un pressoir où l'on foule la vendange, dont les costez sont bien plus hauts tout autour; il y a trois planches & quatre si elles sont étroites, l'une sur l'autre, bien jointes, bien calfetées, & bien brayées, tant au fonds qu'aux costez, en sorte que l'huile ne coule point, cela peut avoir six à sept pieds en quarré: à l'un des costez l'on met une clisse ou claye de la hauteur & de la largeur de la met, avec des nattes de paille en dedans le long d'un costé du pressoir: entre cette clisse & natte, & le bord du pressoir il y a une petite espace de vuide, cela se fait pour empescher que tous les foyes de moluë que l'on jette tous les jours dans cette grande espace qui reste de vuide ne passe, & qu'il reste une espace pour l'huile à mesure qu'elle se fait, ce qui n'arrive que par la force du Soleil qui fait fondre les foyes, cer cette met ou espece de pressoir se place hors l'échafaut en un endroit le plus commode qu'il se peut; l'huile va toûjours au dessus du sang que les foyes rendent, & l'eau qui tombe quand il pleut décend plus bas que l'huile qui est au milieu de l'eau & des foyes que l'on y met tous les jours qui flottent sur l'huile; lors qu'on la veut tirer on fait un trou dans le bord du pressoir, à environ un pied du fonds du costé de la clisse, & l'on fait un autre trou plus bas pour vuider l'eau & le sang; à ces trous l'on met une bonne cheville ou une canelle, & l'huile se tire à mesure qu'elle se fait & se met dans des bariques: tous les foyes ne fondent pas entierement, & il se fait sur l'huile beaucoup de villanies qu'il faut vuider & jetter de temps en temps, autrement cela feroit une

crouste à force de secher, qui empescheroit que le Soleil ne fist fondre les foyes qu'on y met tous les jours: il n'y a presque que les Basques qui fassent ces sortes de pressoirs, encore faut il que ce soit de grands navires, les autres se servent d'une chalouppe bien calfetée, dont l'on met un bout quelque peu plus haut que l'autre, & au bout d'en bas l'on met une clisse & des nattes comme à la met ou pressoir pour empescher les foyes de passer: à ce bout on y fait deux trous, l'un pour vuider l'eau, & l'autre pour tirer l'huile qu'on vuide de temps en temps, le dessus & le dessous comme à la met ou pressoir, à faute de chalouppe ou de pressoir l'on se sert de bonnes barriques deffoncées d'un costé, qu'on met debout sur des chantiers assez élevez, l'on met une clisse dedans, du bas en haut, avec des nattes qui font une espace vuide d'environ demy pied de large du haut en bas de la barique; on fait aussi au bas deux trous pour vuider l'eau & l'huile, & l'on vuide aussi toute l'ordure ou le marc qui se fait dessus de temps en temps; la barique de cette huile vaut jusques à vingt & vingt-cinq écus: toutes ces trois sortes de vaisseaux dont l'on se sert pour faire l'huile s'appelle un Charnier par tous les pescheurs, à la reserve des Bretons qui l'appellent un Treüil.

3° Les vignauts

«Pendant que tous ces travaux se font le Chirurgien avec partie des garçons travaillent à faire des vignaux, pour cela on a quantité de petites perches que l'on coupe par morceaux d'environ cinq à six pieds de long pointus d'un bout que l'on enfonce en terre, en sorte qu'il en reste environ de trois pieds & demy ou quatre pieds hors de terre; ces piquets-là sont distant les uns des autres d'environ une brasse tous arangez sur une mesme ligne, & tous d'une mesme hauteur d'environ vingt-cinq, trente ou quarante pas de longueur selon l'estenduë de la place, qui oblige quelquesfois de les faire plus long & plus courts; cette premiere ligne de piquets estant faite l'on en fait une autre du mesme sens, dont la distance d'entre les deux lignes a environ cinq pieds, peu plus ou moins; en suite l'on met de longues perches que l'on lie au bout d'en haut de ces piquets, d'un bout à l'autre des deux costez, la ligature dont on sert ce sont des fils de carret, toutes ces perches estant posées on en met

d'autres en travers dont les bouts portent sur ces perches des deux costez, & liée de chaque bout à ces perches de distances d'environ un pied les uns des autres, cela fait on couvre toute cette longueur & largeur de branchages, ausquels l'on oste tout le feüillage afin que l'air donne aussi bien par dessous que par dessus, lors que la moluë est sur ces vignaux pour sécher. Il faut à un navire environ de trente, quarante ou cinquante de ses vignaux selon la grandeur du vaisseau, & qui est aussi selon l'estenduë de la place qui est quelquefois des trente, de cinquante, & jusques à cens pas de longueur.

Vue splendide du banc de Paspébiac: à gauche, le grand B.B. de Le Bouthillier Brothers; à droite, les bâtiments de la Robin. Époque: vers 1900.
(Archives publiques du Canada)

4° Habiller la morue

« Des lors qu'il y a deux ou trois chalouppes déchargées, qu'il y a du poisson sur cette pointe ou avant-bec, & des Maistres de chalouppes & des arimiers à l'échaffaut; chacun selon sa charge commence à se preparer pour aller à l'étal; c'est prendre sa place autour de l'étably: pour cela les habilleurs commencent par leurs cousteaux, qui leurs sont fournis par le Capitaine, ils les aiguisent, & leur éguisoire, c'est un morceau de bois plat de quatre doigts de large, de trois d'épesseur & long comme le bras, surquoy ils mettent le marc d'une meule à éguiser; ce marc se fait par

le moyen des Charpentiers, qui à force d'aiguiser leurs feremens sur une grande meule de pierre qui s'use à force de servir, & ce qui s'en mange tombe dans l'auget où est l'eau; ils ont besoin d'amasser cela, & mesme quelques-uns en portent de France avec quoy ils affillent leurs couteaux qui couppent comme des rasoirs, ils en ont deux chacun; dés qu'ils sont éguisez ils mettent un grand tabelier de cuir qui leur pend au dessous du menton, & va jusques au genoux, ils ont aussi des manches de cuir ou de toile godronnée; en ces estat ils se vont mettre en un baril qui leur vient jusques à my cuisse, ces barils-là sont entre ces petits

Autre vue du banc de Paspébiac.
Photo tirée de: Alfred Pelland, *La Gaspésie*.

coffrets qui tiennent à l'étably dont j'ay parlé cy-devant, ils mettent leur tabelié en dehors ou par dessus ce baril pour empescher l'eau, le sang, & autre vilenies d'y entrer. Voila les habilleurs placés prest à bien faire, mais il leur faut un picqueur & un décoleur à chacun, lesquels ont aussi un grand tabelier & des manches comme les autres, mais ils n'ont point de barils, outre cela ceux de mer ont leurs bottes qu'ils ne quittent que pour dormir; ceux de terre qui font ce métier-là, n'en ont point, le décoleur n'a point de coûteau, mais le piqueur en a, differend de ceux de l'habilleur, celuy de l'habilleur est quarré par le bout, & fort épais par le dos pour luy donner de la pesanteur, afin qu'il aye plus de coup à couper l'areste de la moluë, celuy du piqueur est plus long & pointu, la pointe en arondissant du costé du tailland, les piqueurs & décoleurs sont de l'autre costé de l'étably proche la cloison qui est du costé de la mer, joignant cette pointe où l'on décharge la moluë, estans tous ainsi disposés, les garçons & d'autres encore, sont sur cette pointe de l'échaffaut avec leur tré ou daguets, avec lesquels ils picquent la moluë dans la teste, la poussent proche de l'étably par dessous cette cloison ou pignon que j'ay dit cy-devant, où l'on avoit laissé une ouverture d'environ deux pieds de haut; l'ayant poussée là, d'autres hommes qui sont entre les piqueurs & décoleurs prennent la moluë, la mettent sur l'étably proche du picqueur, qui au mesme temps la prend luy coupe la gorge, puis luy fend le ventre jusques au nombril, qui est proprement par où elle se vuide, puis passe son cousteau tout proche des oüyes pour separer un os qui est entre l'oreille & la teste, & tout d'un temps pousse la moluë à son voisin le décoleur, qui luy arrache les tripailles du ventre, au mesme instant il met en deux mannes qu'il a devant luy, dans l'une les foyes & dans l'autre les rabbes, qui sont les oeufs de la moluë, & puis tout d'un temps il renverse la moluë le ventre sur l'étably, & prend la teste à deux mains, la renverse sur le dos de la moluë & luy romp le col, il prend la teste d'une main la jette dans un trou qui est à ses pieds par où elle tombe dans la mer, & de l'autre main pousse la moluë à l'habilleur, qui la prend par l'oreille avec une mitaine qu'il a à la main gauche, autrement il ne la pourrait pas tenir ferme, luy pose le dos contre une tringle de bois de la longueur de la moluë, épaisse de deux doigts, & clouée vis à vis de luy sur l'étably, afin de tenir le poisson ferme & l'empescher de glisser pendant l'opération, à cause de la graisse, & puis avec son couteau décharne le gros de l'arreste du costé de l'oreille qu'il tient à la main, & commençant à l'oreille & venant jusques à la queuë, & au mesme temps donne un coup de coûteau sur l'arreste & la coupe à l'endroit du nombril, & puis passe son couteau par dessous l'arreste vient vers les oreilles, coupe toute ces petites arrestes, qui servent de coste au poisson, jette cette arreste derriere luy, & du couteau jette la moluë dans ce petit coffret ou auget qui est à sa droite, ce qu'ils font avec une telle dexterité & vitesse, tant les piqueurs, décoleurs, qu'habilleurs, que ceux qui ne font autre chose que d'amasser les moluës & les mettre sur l'étably ont peine à les fournir; À cette arreste qu'ils jette derriere eux se prend, ce qu'on appelle en France trippe de moluë, que les pescheurs appellent des noües, qui n'est autre chose que la peau ou membrane qui enveloppe les intestins, tous les poissons en ont de mesme les uns plus grandes, les autres plus petites selon la grandeur du poisson, je diray cy-après comme ces noües se font & s'accomodent.

«La moluë estant habillée ainsi que je viens de dire, on la salle, ce qui se fait sur le mesme échaffaut à couvert de la voille, le long de ces palissades de branchages, qui sont aux deux côtez de l'échaffaut, la saline estant au milieu afin que l'on puisse prendre le sel plus facilement d'un costé & de l'autre, pour cela il y a des hommes qui ont chacun une de ces brouettes, que j'ay d'écrites qui vont mettre sous ces petits coffrets, puis ils levent la coulisse & toutes les

Le grand entrepôt des Le Bouthillier à Paspébiac. Communément appelé le «B.B.», il dresse encore sa masse imposante au milieu des quais. Il date du début du XIXe siècle, est entièrement lambrissé d'écorces de bouleau et couvert de bardeaux. Il mérite une protection accrue.

moluës tombent dedans d'elles-mêmes à cause que le coffret est en pente, puis remettent la coulisse en sa place trainent la brouette au lieu où l'on sale la molue, l'y renversent & retournent en querir d'autres, deux ou trois hommes prennent cette moluë par les oreilles, l'arrangent teste contre queuë, en font une couche de la longueur qu'ils jugent à peu prés pour contenir toute la pesche de cette journee, car pour rendre la salaison égale on ne met jamais l'un sur l'autre du poisson sallé en differends jours; car c'est une maxime inviolable que tout le poisson qui se pesche en un jour a ses autres façon de suitte; la longueur de deux moluës mises bout à bout fait toûjours la largeur de la pille, & la hauteur dépend aussi bien que la longueur de la quantité du poisson qui aura esté pesché pendant la journée; l'on met toûjours la peau de la moluë en bas; de cette premiere couche estant ainsi faite de la longueur qu'ils l'ont jugé à propos, le salleur a une grande pelle toute plate avec laquelle il prend du sel en la saline qui est derriere luy & en salle la moluë; le salleur y est si adroit qu'encor que sa pelle soit chargée de sel il le jette sur cette moluë à plus d'une grande brasse de luy, de la largeur de sa pelle sans en mettre quasi plus en un en droit qu'à l'autre, s'il y a quelque endroit où il n'y en ait pas assez il y en remet, & n'en sort de

La fonderie d'huile de foie de morue serait l'un des plus anciens bâtiments du barachois de Paspébiac.

dessus sa pelle que ce qu'il veut mettre, cette moluë se salle fort peu, quand il y a trop de sel il la brûle, & n'est jamais si belle que l'autre, c'est pourquoi il faut que le salleur soit adroit à jetter son sel, quand cette premiere couche est faite l'on en fait une autre dessus de la mesme façon, & puis l'on la salle de mesme l'autre, ce qui se reïtere jusques à ce que tout le poisson soit habillé [2].»

Ainsi se pêchait la morue quand arriva Charles Robin de la maison jersiaise Robin, Pipon & Co., en 1776. Il fit d'abord une tournée d'exploration, puis revint l'année suivante pour renouveler ses contacts avec quelques pêcheurs dispersés et commencer à mettre sur pied la base de ses opérations commerciales. Son frère John s'établit en même temps sur l'île Madame près du détroit de Canso.

Cour intérieure des magasins de la Robin, Jones & Whitman dans le parc boisé du coteau.

Paspébiac comptait quelques habitations à cette époque puisque le journal de voyage de Robin signale que le seul missionnaire de la baie y résidait. Concédée en 1707 à Pierre Haymar, la seigneurie de Paspébiac ne semblait pourtant fréquentée qu'à la saison de la pêche puisque Charles Robin envoya ses hommes et ses marchandises hiverner à Bonaventure.

---

2 Nicolas DENYS, *Description géographique et historique des costes de l'Amérique septentrionale*, p. 531 ss.

Quoi qu'il en soit, le marchand estima la valeur du site, la sécurité de son havre, qui était aussi libre de glaces une bonne partie de l'hiver et la commodité des grèves. Il commença à acheter des pêcheurs voisins, des Acadiens surtout, toute la morue sèche qu'ils pouvaient lui vendre.

Les débuts furent difficiles: il y avait la concurrence, les naufrages, les corsaires américains qui pourchassaient les navires battant pavillon anglais au moment de la guerre d'indépendance; il y avait aussi la saisie de navires sous l'instigation de fonctionnaires zélés (car les commerçants des îles anglo-normandes de Jersey et de Guernesey «oubliaient» parfois l'enregistrement et les frais de douane), et bien sûr les problèmes quotidiens de ce troc: les cargaisons avariées, les marchandises manquantes, le manque de sel, les retards. En dépit de tout cela, grâce à une comptabilité soignée, vraiment professionnelle, grâce aussi à une prudence mesurée, à un sens des affaires qui ne souffrait ni relâche, ni plaisirs, ou très peu, Charles Robin édifia en moins de vingt ans un véritable empire: la Charles Robin Co. ou la «C.R.C.» se ramifia de Paspébiac à Grande-Rivière, à Percé puis dans Gaspé-Nord. De Caraquet à Rivière-au-Renard, les navires de la C.R.C. collectaient la merluche, la morue sèche, et prenaient ensuite le vent pour le Brésil, les Antilles, l'Italie, la France.

Solitaire, le coffre-fort de la compagnie rappelle l'empire financier des commerçants de morue. Près de l'Auberge du Parc, à Paspébiac.

Lors des guerres napoléoniennes au début du XIXe siècle, les immenses besoins en nourriture sèche pour les soldats et les populations affamées firent presque tripler le prix du quintal* de morue. Mais seuls les entrepreneurs empochèrent ce profit... Si bien qu'on a écrit que les Robin, déjà à cette époque, étaient plusieurs fois millionnaires. Charles avait eu soin de s'entourer de fidèles adjoints, gérants et commis qui veillaient ici à la bonne marche de ses affaires. À partir de 1802, de Jersey ou d'Italie, Philippe Robin (neveu associé) écrivait ses directives, transmettait les commandes, faisait part des politiques. Les ordres étaient stricts, la main était sévère: un charpentier qui voulut modifier la poupe d'un brick se vit obligé de la remettre sous la forme traditionnelle du cul-de-poule. Un commis envoyé en Gaspésie, sans son épouse, ne revenait à l'île de Jersey qu'à tous les deux hivers. Robin s'opposa à la construction des écoles pour les pêcheurs: seront-ils meilleurs à la pêche s'ils sont plus instruits? répliquait-il. De même, il fit en sorte, en ne leur concédant que de petits lots, que l'agriculture ne puisse trop profiter à ses pêcheurs.

Travailler et vivre à Paspébiac

Dès le début, Charles Robin avait attiré à Paspébiac des pêcheurs, des charpentiers, des navigateurs. Il y avait des Acadiens mais aussi des Normands, et surtout des Basques: les Chapados, Castilloux, Delarosbil, Aspirot et Roussy se mêlèrent aux Allain, Parisé, Huard. Il vint aussi des «Canadiens» et des Jersiais. C'étaient tous de rudes gaillards, durs à la peine; on les nommait Paspeyas (prononciation locale du mot Paspébiac) et dans les autres postes de la côte, à Percé par exemple, peu de Français et même d'Irlandais n'osaient trop leur marcher sur les pieds.

Ainsi que le signalait Mgr Plessis, les pêcheurs de Paspébiac venaient vivre de mai à octobre sur le banc de sable, à proximité de leur gagne-pain. Ils avaient une maison d'hiver plus haut sur la côte. Ce phénomène intéressant de déplacement saisonnier, on le relève à plusieurs endroits sur la côte, à Pabos, à Port-Daniel et, surtout, sur la côte nord de Gaspé.

Telle pouvait être la vie sur le banc de Paspébiac. Certes l'aspect du village a bien changé mais il reste suffisamment de témoignages physiques pour interpréter le paysage. Ainsi le premier groupe de bâtiments entourant le grand B.B. (de Le Bouthillier Brothers) appartenaient à cette compagnie, jersiaise elle aussi, et datent des années 1815. Au centre du banc, s'étendent les hangars et entrepôts des Robin. Plus loin à l'est se trouve une poudrière, là où on entreposait la poudre à canon.

À flanc de coteau, au milieu d'un boisé auquel on accède par un chemin qui prend à mi-côte, se trouvent les «magasins jaunes»: magnifique ensemble de magasins généraux, d'entrepôts de vivres et de quincaillerie, d'écuries, entourant une cour fermée. Le feu a détruit quelques bâtiments, laissant ironiquement intact un large coffre-fort qui semble défier le temps.

Hopetown et **Saint-Godefroy**

En quittant Paspébiac, vers l'est, on longe des terres soigneusement cultivées et quelques pentes très fertiles. Plusieurs minuscules chapelles se succèdent et les habitations témoignent de l'aisance des habitants. Trois ou quatre soldats écossais quittèrent l'armée du conquérant en 1760 pour venir s'établir ici: Duncan McRae, Donald Ross et Angus MacDonald formèrent le noyau d'Hopetown qu'ils appelèrent ainsi en souvenir de l'Écosse. Agriculteurs persévérants, les Écossais d'ici, de New Richmond et Port-Daniel ont domestiqué un terroir rude et marqué le paysage d'originale façon. Après 1785, des loyalistes se joignirent aux premiers arrivants.

Quant à Saint-Godefroy, c'est vers 1850 que les premiers colons s'y établirent, venant des agglomérations francophones de la baie. On y trouve des Ahier, Delarosbil, Grenier, Huard. Une fort belle plage borde l'entrée de la rivière Nouvelle, à l'ouest, et les embarcations de quelques pêcheurs-artisans y mouillent. C'est un endroit idéal pour flâner à l'aise et observer la faune du rivage.

Foyer 4
De Shigawake à Petit-Pabos

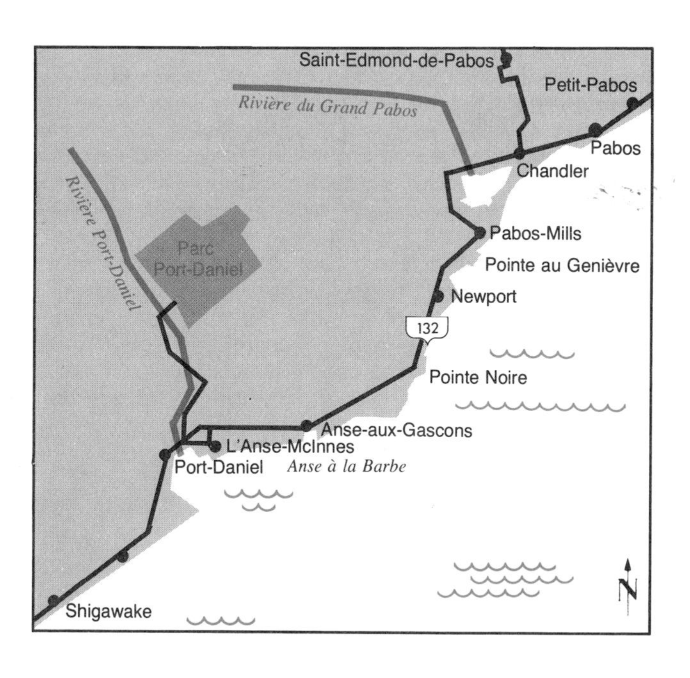

Introduction

L'impression que dégage ce coin de pays est celle d'une nature sauvage, agressive, qui n'a guère laissé de place à l'homme pour s'implanter et vivre. Et pourtant celui-ci a trouvé les failles, les défauts de la cuirasse, il a découvert les moindres niches, les plus minuscules abris où ancrer sa voiture d'eau et construire sa maison. De l'anse des McInnes à l'anse aux Îlots, sans omettre la plus belle, l'anse à la Barbe, les pêcheurs ont déjoué cette côte au premier abord rébarbative. L'expérience venait de loin puisque Jacques Cartier lui-même était venu reposer ses navires sur les sables de la baie de Port-Daniel en 1534.

Il faudrait des semaines entières pour explorer et découvrir ce joyau de la Gaspésie: les richesses de sa géographie n'ont d'égales que les implantations humaines variées qui témoignent toutes, au delà des origines culturelles des occupants, du même souci de vivre harmonieusement avec la nature. S'il est des lieux en Gaspésie où on peut à la fois comprendre et palper la synthèse d'un pays et de ses hommes, de la vie quotidienne et de son univers esthétique, c'est quelque part entre Port-Daniel et Petit-Pabos. Du moins existe-t-il encore ici certains signes de pureté, d'évidentes harmonies qui disparaissent ailleurs trop rapidement.

En avant! Partons découvrir ces paysages envoûtants. Il peut être utile de rappeler au lecteur que le cadre forcément limité de cet ouvrage ne nous permet pas de traiter en profondeur de toutes les réalités visibles: à chacun de participer à sa propre découverte, d'avoir l'audace de continuer là où nous arrêtons! Nous n'imposons pas un guide mais nous suggérons un compagnon au meilleur touriste. Voyager exige un effort intellectuel et physique que vous seul devez fournir et ce n'est pas en roulant incognito ou en ouvrant seulement la glace latérale de vos portières que se respire le parfum du pays: il faut davantage pour apprivoiser la vie.

La géographie de Shigawake à Chandler

En quittant le village de Shigawake, on sent que des changements se préparent dans le paysage. La falaise littorale s'élève et, au loin, des collines commencent à montrer leur dos. La voie ferrée elle-même s'apprête à user de ruse afin de se frayer un chemin vers Port-Daniel, Gascons et Pabos. Elle s'éloigne progressivement du littoral et prend de l'altitude pour absorber en douceur les collines qui précèdent Port-Daniel. Jusqu'à Pabos, elle devra d'ailleurs exécuter de nombreuses contorsions afin de conserver une pente acceptable: elle s'insinuera dans les vallées, volera presque au-dessus des barachois, contournera les collines et les caps et passera même sous la montagne au cap de l'Enfer à l'est de Port-Daniel.

Du côté est du village de Shigawake, tout près d'une jolie chapelle blanche et de son cimetière, une petite route nous conduit au quai de Smith Point. Vous pourrez, tout en vous reposant, y observer un phénomène géologique assez spectaculaire. Du côté ouest du quai, la falaise rouge au sommet imperturbablement plat semble aller se perdre à l'horizon. De l'autre côté, la falaise moins abrupte et partiellement couverte de végétation laisse voir un phénomène qui annonce des changements dans la nature du substrat rocheux et, par là, du paysage. En effet, les couches horizontales de grès rouge recouvrent en *discordance* d'autres roches sédimentaires dont les couches sont presque verticales.

Ces roches, de la même formation que celles des caps Noirs (New Richmond) sont plus anciennes de plusieurs millions d'années que les roches rouges qui les recouvrent. Mises en place dans le fond d'une mer, elles ont été plissées et soulevées presque à la verticale avant d'être attaquées par l'érosion. Environ 80 millions d'années plus tard, les grès rouges se déposaient à l'horizontale par-dessus les anciennes couches verticales, d'où la discordance.

À mesure que l'on s'approche de Port-Daniel, on constate que le paysage s'anime, le relief s'accentue et les terres planes font place à des collines aux formes arrondies. Les pentes restent quand même douces. Ces changements de la surface topographique sont des réponses ou des échos à des modifications importantes dans le substrat rocheux. Souvenez-vous de la discordance observée près de Shigawake. Les roches calcaires à pendage presque vertical du bas de la discordance émergent maintenant des roches rouges de la formation de Bonaventure qui les recouvraient. C'est d'ailleurs dans ces roches anciennes que s'est sculpté tout le relief de la baie de Port-Daniel et des environs. Au cap de l'Enfer, juste au bas du tunnel creusé pour passer la voie ferrée, vous aurez tout le loisir d'observer cette formation rocheuse et les nombreux fossiles qui y sont emprisonnés.

On ne peut quitter Port-Daniel sans pousser une pointe jusqu'à la réserve de Port-Daniel. Vous empruntez la route qui contourne le bassin du côté est et s'enfonce dans les bois le long de la rivière Port-Daniel Nord. Si vous n'avez pas apporté votre équipement de pêche, vous pouvez toujours vous baigner ou aller pique-niquer au belvédère qui domine la vallée. Le coup d'oeil en vaut la peine. Vous verrez comment la vallée de la rivière Port-Daniel s'encaisse à travers le plateau et s'élargit à mesure qu'elle s'approche de son embouchure. Progressivement, d'autres rivières la rejoignent et finalement, après avoir traversé une plaine basse et large en y exécutant de grands méandres, elle débouche dans le bassin qu'une barre de sable isole de la grande baie de Port-

Discordance angulaire à l'est du quai de Shigawake.

Daniel. Seul un étroit chenail permet aux eaux de circuler et aux hommes d'y faire entrer leurs voitures d'eau.

Le profil d'ensemble de la région Port-Daniel–Chandler prend l'allure d'un vaste dôme. Le paysage de détail est cependant très agité et l'agriculture ne semble pas y trouver son compte. Seules quelques pentes douces qui s'allongent le long du littoral et les sols qui tapissent le fond des anses ont été défrichés et mis en culture. L'influence maritime commence ici à se faire sentir et le climat estival n'a plus la douceur qu'il avait dans le comté de Bonaventure. Somme toute, la nature ne favorise pas l'agriculture si ce n'est dans les anses bien abritées. Dans certains champs défrichés dans le passé, le substrat rocheux affleure même en surface.

Le profil si régulier du littoral dans les foyers précédents fait ici place à une série de pointes et de caps entre lesquels s'insèrent des anses que les occupants ont admirablement bien «aménagées». Des petites îles et des récifs se détachent quelquefois du rivage. Tous ces caractères alliés à la topographie fort accidentée de l'arrière-pays témoignent d'une géologie très «agitée». En effet, les roches qui affleurent en surface entre Gascons et Chandler sont parmi les plus anciennes de la Gaspésie puisque certaines remonteraient à plus de 500 millions d'années. Depuis ce temps, elles ont subi plusieurs des effets de la tectonique: elles ont été plissées, cassées et soulevées à de nombreuses reprises. Des volcans y ont même répandu leurs laves.

À Chandler, à l'extrémité est du barachois qui referme la baie du Grand Pabos, des changements s'annoncent dans le paysage. Près des nouveaux quais, du côté de l'anse à la Chaloupe, une autre discordance nous ramène les roches rouges de la formation de Bonaventure et le paysage auquel nous nous étions habitués dans le comté de Bonaventure, plus à l'ouest.

Shigawake

«Terre du soleil levant», l'appelaient les Micmacs et, de fait, le courage de se lever avant le jour porte sa récompense, celle de voir le soleil émerger des eaux. Par temps calme, on peut même distinguer l'ombre de l'île Miscou se prolonger à l'horizon de la baie. Sous le soleil d'août, la côte de Shigawake prend des couleurs étonnantes: les prés y sont d'un vert foncé et la falaise littorale d'un rouge ocre. À quoi s'ajoutent les fermes blanches, bien entretenues: habitations et bâtiments ont un volume qu'on avait presque oublié depuis New Richmond.

L'agriculture connaît ici des maîtres. Ils furent trois matelots, les Smith, Sullivan et Almond, à quitter leur navire (un convoyeur d'esclaves, à ce qu'on raconte) pour trouver refuge sur cette côte qu'ils défrichèrent et conquirent patiemment; cela se passait à la fin du XVIIIe siècle. Légende ou vérité? Nous approchons d'un coin de la baie où les deux se confondent: le drame du *Colborne,* le feu des Roussy, le vaisseau fantôme, autant de vérités ou d'images amplifiées par le temps et qui hantent encore les esprits.

Vous aimerez vous balader à Shigawake, emprunter les bouts d'ancienne route, descendre au quai de Smith Point, et visiter les cimetières jouxte ces jolies chapelles blanches aux contreforts gothiques. Avez-vous remarqué l'effort que la communauté anglophone déploie pour assurer à ses défunts le repos dans un site qui rappelle d'un coup d'oeil leur univers familier; au delà des générations, admirable souci de la continuité... Et en poussant plus à l'est (à Shigawake-Est) on passe devant un chaloupier (pas moyen de le manquer, il y a dehors une ou deux charpentes de «flats» ou berges). Autrefois, chaque agglomération avait son charpentier attitré ou encore un maître bordeur qui, l'hiver, s'occupait à poser les bordages des nouvelles embarcations. Quant au radoub* du printemps: calfatage, goudronnage et peinture, il appartenait à chaque pêcheur d'y veiller avant l'ouverture de la saison.

Et puis soudain les caps apparaissent, la route s'élève pour déboucher sur la baie magnifique de Port-Daniel.

Port-Daniel

Les Amérindiens venaient au printemps établir leurs camps derrière le barachois et au bord de la rivière frétillante de saumons. La vie était facile, le petit gibier abondant et de tous côtés une barrière naturelle détournait les vents frais; ils nommèrent le lieu «Epsegeneg» — là où on se chauffe. Quand Jacques Cartier arriva à l'entrée de la baie «de Chaleur», qu'il nomma ainsi au sortir des eaux froides du Labrador et de Terre-Neuve, il fut attiré par la côte rugueuse. Lisons les commentaires du frère Antoine Bernard à ce sujet:

Caveau à patates à Shigawake.

Grange-étable et bâtiments secondaires.

«Voici donc le découvreur en présence de la Gaspésie. Déjà, les jours précédents, pendant que ses deux barques doublaient Miscou, il a noté dans son routier: «Devers le nord est une terre haute à montagnes, toute pleine d'arbres de haute futaille, de plusieurs sortes; entre autres il y a plusieurs cèdres et pruches, aussi beaux qu'il soit possible de voir, pour faire mâts de navire de trois cents tonneaux et plus.» Le 3 juillet 1534 semble, pour le Malouin et ses gens, une journée de repos contemplatif, en face d'un horizon qui rappelle les lignes rugueuses de la vieille Bretagne natale, depuis Saint-Malo jusqu'à la pointe déchiquetée du Finistère. Le lendemain, le contact s'établit. «Et le quatrième jour du dit mois, note Cartier, nous rangeâmes la dite terre du nord pour trouver un havre: nous entrâmes dans une petite baie et conche de terre, toute ouverte au sud, et la nommâmes la conque Saint-Martin.» C'était le Port-Daniel d'aujourd'hui. On sait que le vieux mot «conche», du latin «concha», équivaut à conque, coque ou coquille, et qu'il nous reste pour témoigner de l'art descriptif du découvreur-poète. La rade de Port-Daniel lui apparut sous la forme d'une coquille propre à recueillir ses deux barques houspillées par l'océan, ses rudes marins privés depuis longtemps d'un vrai sommeil tranquille, sans tangage ni roulis[1].»

Il est facile d'imaginer les deux voiliers là-bas, au fond de la baie, à l'abri du cap, là où se mêlent les eaux douces de la rivière à celles de la mer. Pour mieux saisir ce coup d'oeil, empruntez à l'ouest la route de terre qui longe la pente et mène à la pointe de l'Ouest. De belles et grandes fermes occupent ce versant de plateau. Ici ce sont des MacDonald, ailleurs des Millar, des Lawrence et, à l'opposé de la baie, des McInnis; tous partagent la joie d'admirer ce paysage qui rappelle l'Écosse natale, et leurs regroupements naturels, taillés en patrimoines familiaux, ne sont pas sans rappeler les clans de l'ancienne patrie. C'est une fort belle excursion que de suivre la grève et de pousser jusqu'à la pointe, la faune y est riche.

---

1 Antoine BERNARD, *Une vieillerie de 1534,* dans *Revue d'histoire de la Gaspésie,* vol. I, no 2, p. 94.

En reprenant le voie principale qui longe le rivage, on passe devant des entrepôts frigorifiques où, en saison, on trouve du homard. Mais les stocks ont diminué: en 1847, les «Américains» inauguraient ici une «cannerie» de homard et de saumon qui empaquetait, durant le seul mois de juin, près de 23 000 kilos de ces espèces. Aujourd'hui, le homard bien que protégé ne représente qu'une ressource secondaire pour les pêcheurs; quant au saumon, la pêche commerciale interdite depuis six ans pourrait reprendre en 1978 mais de façon encore plus limitée qu'auparavant. On doit se rendre à l'évidence, pêcheries et forêts ont été l'objet en Gaspésie d'une surexploitation inqualifiable. Contrôles, règlements, école de pêcheries, tout cela n'est venu qu'au moment de la dernière guerre, quand il fut presque trop tard. En effet, trop longtemps, les conserveries se soucièrent peu de la taille des homards qu'elles traitaient. Voici ce qu'en disait J.-M. Lemoyne, il y a cent ans:

«Jusqu'à l'automne dernier, la rive sud de la Baie des Chaleurs débordait de conserveries de saumons et de homards, opérées par des Américains brillants qui avaient entrepris d'apprendre aux Canadiens tous les profits qui gisent au fond du Saint-Laurent. Ils pêchaient, avec filets et trappes tout être vivant des rivages ayant l'apparence d'un homard «pourvu que cela mesure neuf pouces de longueur», sans oublier le saumon. Pour une raison ou une autre, les Américains ont maintenant traversé la Baie, et les voilà qui louent les bancs de pêche et construisent des conserveries; en ce moment, ils sont partout, de l'argent plein les poches. Ils ont déjà cinq postes en Gaspésie, outre leur poste principal d'exportation à New Mills, près de Dalhousie. Leur esprit d'entreprise les a poussés à Carleton, Maria, Caplan, Bonaventure et sous peu à Port-Daniel, à vingt milles du grand centre de commerce de Paspébiac. Le maire de Port-Daniel m'a fait l'honneur de visiter cette conserverie dont il est très fier en raison de la prospérité nouvelle qu'elle apportera à la municipalité qu'il dirige depuis trente ans[2]*. . .»*

---

2 James McPherson LEMOYNE, *Chronicles of the St. Lawrence,* p. 282.

L'histoire est perpétuel recommencement. Le chroniqueur nous apprend aussi que le terrain de la homarderie fut loué aux Américains par un Écossais du nom de Miller en retour de la propriété exclusive des déchets de homards comme engrais et fertilisant.

La plupart des ressources marines ont été plus ou moins pillées de la sorte et par toute la collectivité. En longeant le barachois de Port-Daniel et en observant bien les anciens havres de toute la baie, on remarque inévitablement des bâtiments délaissés, des hangars qui tombent en ruine, des installations portuaires désuètes dont il faut bien justifier la présence. Or au coeur du problème il y a précisément cette mauvaise gestion des faunes marines et notre imprévoyance quasi systématique . . .

Le visiteur ne s'étonnera donc pas de trouver au fond du barachois de somptueuses villas d'allure victorienne, avec leurs nombreuses dépendances et quelques anciens hôtels. Plus ou moins abandonnées aujourd'hui, ces résidences rappellent les activités fébriles des entreprises du début du siècle: le chantier maritime de Charles-H. Nadeau, les «canneries» des Américains, mais aussi le club de pêche

La baie de Port-Daniel.

au saumon là où se trouve maintenant la réserve de Port-Daniel, puis l'usine de poisson frais du docteur Guy et, enfin, la carrière de pierre à chaux de la Gaspesian Fertiliser Co. En fait l'arrivée du chemin de fer contribua à ce renouveau après 1912.

Auparavant, quelques familles de pêcheurs vivaient l'été sur le barachois dans des cabanes fragiles et regagnaient le fond de l'estuaire pour hiverner. Quelques maisonnettes achèvent encore leur vie, sur le barachois, Elles sont les derniers témoins des migrations saisonnières. L'un de ces premiers pêcheurs-agriculteurs à résider à Port-Daniel se nommait Langlois, probablement un Acadien, selon Blanchard. Les Écossais auraient suivi après 1825, du moins selon un témoignage oral recueilli en 1919.

Si vous prévoyez séjourner à Port-Daniel vers la mi-août, vous assisterez au «retour des géants»: des thons de 350 à 500 kilos, pêchés à la ligne par des sportifs venant de plusieurs pays: c'est alors le tournoi international de la pêche au thon.

Un paradis gaspésien: l'anse des McInnes.

Port-Daniel-Est et l'anse des McInnes

On s'y rend en suivant la route du quai, devant l'église à droite. En passant devant le cap de l'Enfer, la voie ferrée traverse un tunnel de 195 mètres de longueur, que les ingénieurs et leurs équipes mirent deux ans à percer dans le calcaire. Les amateurs de géologie et de paléontologie trouveront matière à exploration dans les environs car depuis des millions d'années plusieurs fossiles sont prisonniers de cette formation rocheuse. Et nous débouchons sur l'anse des McInnes: de droite à gauche, en partant de la tourelle*, qu'on peut aller voir par la grève et qui mouille son socle au bout de la pointe, nous avons devant nous une des niches les plus splendides de la côte. La grève y fait un demi-cercle, ouvert au sud-ouest. Derrière, à même le flanc de la colline, sont perchées les maisons et les granges du clan des McInnes.

Il faut presque déambuler à pas feutrés tant l'impression de calme, de sérénité et d'accomplissement nous gagne. Et au delà du hameau, en contournant la pente, stagne un grand marais, peu profond, où les goélands se reposent par bandes quand la mer s'agite trop. N'entrez pas dans ce rêve autrement qu'à pied ou en vélo, ce serait violer un habitat patiemment aménagé par plusieurs générations d'amants de ce magnifique terroir. De bons excursionnistes, bien chaussés et sac au dos, peuvent facilement se rendre jusqu'à l'anse à la Barbe en suivant le remblai de la voie ferrée qui longe le marais. De la prudence, toujours. Le marcheur passera ainsi devant l'anse Harrington, évoquant le naufrage du *Colborne* dont le récit suit quelques pages plus loin (p. 139).

L'anse aux Gascons . . .

. . . où ne se trouvent pas que des descendants de Gascogne . . . Il y a aussi des Normands, des Acadiens, des Basques, des Jersiais; en fait une mosaïque ethnique que les hasards de la pêche et de la navigation ont créée au fil des ans. Aux Roussy, Castilloux et Chapados s'ajoutent les Allain, Parisé, Huard, Duguay, puis un Chedore de Jersey, un Cassivi d'Italie, un Anglehart d'Allemagne, un Acteson rescapé du *Colborne*. Ils s'établirent ici peu avant 1850 et furent longtemps desservis par la paroisse de Port-Daniel avec laquelle ils conservent beaucoup de liens.

Mais avant d'aborder l'anse aux Gascons proprement dite, il faut s'attarder un peu à Gascons-Ouest, là où se cache une perle: l'anse à la Barbe. Il s'agit d'une très petite vallée naturelle qu'a creusée le ruisseau du même nom. Dès qu'on l'enjambe sur le pont de la Nationale, on aperçoit près de l'eau le «tracel» (ponceau, de l'angl. *tressel*) de la voie ferrée. Une route de terre (face à une quincaillerie) permet de descendre sur la terrasse, puis à gauche d'aller sous le «tracel» pour enfin accéder à l'anse. Un pont à chevrons saute le ruisseau, et vous voilà hors du monde. Ils sont là, les irréductibles, une douzaine de pêcheurs artisans qui résistent par goût ou par nécessité à la pêche qu'on dit moderne, celle des chalutiers et des dragueurs.

Ici encore, nous vous conseillons d'arriver sur la pointe des pieds, de préférence entre 8 h 30 et 10 h le matin, et à pied ou en vélo. Nous avons même hésité à vous révéler leur existence tant l'équilibre est précaire. Le «progrès» les a cernés de toutes parts: le gouvernement refuse d'entretenir leur quai et voudrait les concentrer à Gascons; ils pêchent encore à la ligne de fond ou à la ligne à mains, ce qui ne se voit presque plus; le hareng diminue et la morue aussi, bref, ils perdurent par habitude, mais surtout par amour.

Par une chaude journée de pluie, tel était l'aspect du petit havre de l'anse à la Barbe, à Gascons-Ouest.

Car ils aiment leur métier, cette vie dont ils sont maîtres. La journée se déroule comme il suit: dès les quatre heures, donc bien avant le petit matin, ils descendent à l'anse. Le premier réflexe est d'aller au bout du quai, sentir le vent, voir si la mer sera bonne: «Tiens, Édouard est sorti! C'est pas un méchant temps.» Et dans le silence profond du petit havre, les bruits résonnent: *patap, patap,* toussent les moteurs à deux temps, les vieux «Acadia» qui crachent du fond des «flats» (berges à fond plat). Un ronron plus aigu déchire la nuit, c'est le «25 forces» à Viateur... *Patap, patap, patap,* les sons frappent les murailles de l'anse. En moins d'une demi-heure ils sont tous sortis du canal abrité qui forme l'entrée. Seuls, ou deux à deux, ils vont sur le banc, à 2 kilomètres de là, parfois plus, relever les lignes de fond tendues la veille ou s'essayer à «bobber» ou «jigger» (leurre nickelé) à travers les bancs de morues.

Les gestes sont précis, méthodiques, beaux. Rien d'inutile, aucune perte de temps: il faut souvent lever trois lignes de 500 mètres, soit plus de 1 500 hameçons. Au fur et à mesure, la palangre* vient s'enrouler sur le «piano», sorte de châssis de bois, qui permet de séparer un à un les hameçons et leur avançon. Heureux le pêcheur qui rapporte 100 kilos de morue, trois fois moins qu'autrefois. En revenant, il ira lever la senne à hareng qu'il a tendue la veille près du rivage: c'est encore un coup de chance. Si le hareng ne donne pas, il lui faudra se contenter du hareng congelé des Pêcheurs unis, mais la morue n'en raffole pas... C'est de la méchante bouette*!

Vers les neuf heures du matin, l'anse à la Barbe s'anime. Les hommes reviennent. On n'entend d'abord que le bruit des vagues, puis les *rron rron* percent le vent. Du bout de la jetée, les barges surgissent une à une. Tenez, voilà Normand Parisé qui rentre à la voile: il est le seul, le dernier peut-être à carguer sa grosse toile. Il en est fier. En peu de temps, vous les voyez tous s'amener à leur place: le rouquin, là, c'est Noël Chedore, il a bâti toutes ces barges, il sait encore faire voiles et cordages. La tuque rouge là-bas, c'est le «père Noël». Il y a aussi «monsieur Noël», 77 ans bien comptés dont 67 en mer, et puis, bien sûr, Édouard: «As-tu pris du poisson, mon Louis? Non? Moi j'en ai. J'suis pas un «bobbeux» moi, *j'fais* la pêche...»

L'acheteur de morue est là aussi qui pèse, évalue, soupèse la récolte de chacun. Les hommes vident leurs barges à l'aide de piques. Le poisson est vite étêté, vidé, fileté: filets et foies d'une part, têtes et «gau*» (estomac) de l'autre, le reste aux mouettes et aux goélands qui ont rappliqué dans l'anse pour l'heure du déjeuner. Et toujours, sauf quand la mer n'a rien donné, les taquineries franches, la joie normande qui s'installe en force parmi les hommes. Pêcher à l'anse à la Barbe, c'est goûter à chaque jour à la liberté, même rétrécie.

Une fois la morue vendue, il faut préparer la bouette de l'après-midi: couper le hareng en morceaux pour appâter les lignes. Quelques-uns se reposeront un peu au milieu de la journée, puis vers 17 h retourneront jeter à nouveau les rets à hareng et la palangre à morue, dans l'espoir que demain . . .

La moindre faille, la moindre niche où ancrer sa voiture d'eau . . . l'anse à la Barbe, Gascons-Ouest.

La vie quotidienne traditionnelle des pêcheurs de l'anse à la Barbe a fait l'objet d'une étude par le sociologue Marcel Rioux, il y a vingt-cinq ans. Le lecteur intéressé trouvera dans cette publication la meilleure introduction possible à la compréhension de la Gaspésie tout entière[3].

---

3 À lire: Marcel RIOUX, *Belle-Anse,* Musée national du Canada, 1961, bulletin p. 138.

Quittant à regret l'anse à la Barbe, on entre dans Gascons, établi en bordure d'une baie longue mais peu profonde. Il faut »marcher» ce village bien conservé, pas trop altéré par le bourgeonnement désordonné des dernières années. Au passage, on a noté le petit reposoir de Notre-Dame des Gascons, niché dans un creux de hautes herbes. En face, se trouvent les anciens bâtiments du Service des pêcheries, à côté desquels un vaste fumoir à harengs rappelle une ressource éteinte. Le chemin qui longe le ruisseau Chapados vous amènera au quai moderne et au parc d'hivernement des «gaspésiennes*», où vous pourrez toucher aux techniques plus modernes d'exploitation de la mer. On peut s'y procurer du crabe frais.

Au retour, il faut encore décoller la morue, la vider, la trancher, préparer la boëtte. À l'anse à la Barbe.

Dans le village, un magnifique magasin général, en beige et vert, entouré de ses hangars multiples, forme un ensemble plein de charme. Il reste aussi une chapelle protestante, témoin de l'apport ethnique varié. Le cimetière qui surplombe la grève, face à l'église, transmet aussi le souvenir de marins et de pêcheurs échoués ici. Chantent les noms de Chapados, Castilloux, Roussy, Cassivi, Dea, Chedore, Ahier, Mourant... Et celui de Acteson dont l'histoire est célèbre.

Le naufrage du *Colborne* en 1838

Le *Colborne,* barque de 350 tonneaux, quitta Londres en août 1838, sous le commandement du capitaine Kent. Il apportait au Bas-Canada l'une des plus riches cargaisons: vins, eaux-de-vie, huiles, épices, étoffes et tissus, des ornements et de l'argenterie destinés aux églises du Québec, ainsi que £40 000 en coffrets de 1 000 souverains-or, représentant la solde des troupes du Canada.

Le *Colborne* quitta la Thames et quarante-cinq jours plus tard entra dans le golfe. Mais, erreur fatale, le capitaine confondit une lumière du mont Saint-Anne, à Percé, avec le phare d'Anticosti: «*Vers minuit le 15 octobre, les capitaines Kent et Hudson dégustaient un verre de vin lorsque la vigie poussa un cri, récifs droit devant! Le navire toucha ferme et se cabra dangereusement. En une minute, ce fut la confusion, la terreur la plus complète, femmes et enfants titubant et pleurant sur le pont. On mit les pompes à l'oeuvre, dans une cale envahie par huit pieds d'eau. Le premier maître demanda la permission de couper le mât et de lancer les chaloupes. Le capitaine s'y refusa: «Aucun danger, dit-il, c'est moi qui commande ici et vous n'en ferez rien.» L'équipage réussit à dégager le navire mais, en tentant de gagner le rivage qui se trouvait à portée de fusil, le navire poussé par un vent contraire donna à nouveau sur des récifs, projetant par-dessus bord passagers et équipage. Les vagues les engloutirent. Acteson et cinq autres matelots réussirent à mettre une doris à la mer, mais une lame les emporta aussitôt. Il s'accrocha à des agrès qui flottaient. Toute la nuit il put entendre les cris et les plaintes de ceux qui, gelés, transis, épuisés, s'accrochèrent désespérément aux flancs du navire. Vers cinq heures du matin, les gens de Gascons accoururent à l'aide: seul fut rescapé le vigoureux matelot Acteson, les autres avaient péri*[4].»

On raconte que les plages de l'anse Harrington furent couvertes durant plusieurs jours de tous les trésors du *Colborne* et que ce fut la fête chez les gens de Gascons et de Port-

---

4 LEMOYNE, *op. cit.*, p. 27-30. (Récit traduit par les auteurs).

Daniel: chacun récupéra une partie des effets, vins, liqueurs, meubles, coffres, etc. Aujourd'hui encore, dit-on, des maisons de Port-Daniel abritent certains biens arrachés à la mer. Seulement cinq des quarante coffrets de pièces d'or furent officiellement récupérés, dûment comptés. Mais à chaque fois qu'on les comptait, il en manquait toujours... On les envoya vite à Québec. Longtemps après le naufrage, les pilleurs et les chercheurs de trésor s'activèrent dans les parages, avec succès, semble-t-il.

Quant à Acteson, il fut recueilli à Gascons dans la famille du nommé Chedore, dont il épousa ensuite la fille, Isabella. Ils laissèrent plusieurs descendants... comme dans les contes de fée.

À Gascons, toujours, le promeneur peut observer de beaux ensembles domestiques, des granges-étables de taille moyenne, accordées à l'agriculture de subsistance qui se pratique ici; plusieurs possèdent encore un cheval, seule traction vraiment adaptée à la raideur des pentes ou aux chemins de halage* des montagnes boisées d'où l'on tire le combustible. Notez aussi la nature fort particulière des fleurs d'ornements, surtout les pieds-d'alouette *(Delphinius)* qu'on verra souvent d'ici à Percé. Personne n'a encore fait l'inventaire ethno-botanique des plantes et des arbres d'ornements spécifiques à certains terroirs, à certains climats, et pourtant il y a là une sagesse à découvrir, un art populaire à préciser. Remarquez-les et essayez de les identifier.

Si vous avez l'excellente idée de séjourner quelques jours à Gascons, vous pourrez rayonner jusqu'à Port-Daniel et jusqu'à la pointe au Genièvre à l'est. Ne manquez surtout pas de goûter à la morue du seul restaurant de Gascons, «Le petit Gaspésien»; vous pouvez même y manger de la merluche, de la morue séchée, en retenant douze heures d'avance pour le dessalement. Ce mets si ancien peut être nouveau pour vous!

Reposoir marial de Notre-Dame-des-Gascons, au
creux de la verdure dans le village.

Newport (Pointe au Genièvre)

Entre Gascons et Newport, la route quitte le rivage et coupe à travers un portage montueux et boisé: on appelle cette pointe «pointe au Maquereau» et elle forme avec l'île de Miscou, à vingt-quatre kilomètres au sud, l'entrée de la baie des Chaleurs. Nous pénétrons ici dans le comté de Gaspé. À Newport-Ouest, près de l'anse aux Îlots se trouve l'une

Faune et flore
des rivages de Pointe-Noire.

des plus jolies plages de la région. Le sable fin et blanc, la grève propre et longue vous réjouiront. Et l'eau n'est pas aussi froide qu'on le prétend; le premier effet de surprise passé, vous ne voudrez plus sortir de l'eau. Le soir, les résidents pêchent à la ligne la morue, le maquereau, la plie, etc. Les crans rocheux regorgent de fruits sauvages (baies de genièvre, airelles, vignes d'Ida) qui mûrissent fin août. Sur les îlots rocheux près de la rive, nichent des mouettes tridactyles, des goélands argentés et des sternes.

En traversant Newport, on notera le nombre accru de gaspésiennes, de chalutiers, d'installations modernes de pêche qui ont remplacé peu à peu les anciens comptoirs des Robin et des Le Marquand: Newport et Grande-Rivière forment les deux havres les plus bourdonnants de la pêche commerciale à l'échelle industrielle. À Newport Point vous pouvez visiter l'usine de transformation des Pêcheurs unis et vous offrir les fruits de mer et poissons de toutes espèces qu'on vend au comptoir adjacent à l'usine. De l'autre côté du bassin, une grande maison achève tristement ses jours au milieu des installations récentes. Résidence du gérant de la compagnie Robin, cette vaste maison aurait été construite vers 1905.

Pabos et Chandler

Cette région comprend Pabos-Mills à l'ouest, Grand-Pabos, Chandler et Petit-Pabos à l'est. Toutes ces localités appartiennent au territoire de la seigneurie originale concédée en 1696 à Louis-René Hubert, huissier du Conseil supérieur de la Nouvelle-France. Il n'y fit aucun établissement. Ce furent les acquéreurs suivants, Pierre Lefebvre de Bellefeuille et ses trois neveux qui dès 1729 entreprirent de mettre en valeur la seigneurie et s'installèrent sur les bords de la baie du Grand Pabos.

Ils réussirent à former ici l'un des rares postes permanents de la baie des Chaleurs durant le régime français, vivant des revenus de la pêche à la morue et à la baleine, cultivant quelques parcelles du sol et troquant un peu avec les Amérindiens. Au moins trente chefs de famille et cent personnes vécurent ici jusqu'à la conquête. Dès 1743, un Bellefeuille signe un certificat de cargaison en se qualifiant «gouverneur» de Pabos. Effectivement en 1737 Georges Lefebvre de Bellefeuille avait été nommé subdélégué de l'intendant pour la Gaspésie.

Pabos sera donc, au milieu du XVIIIe siècle, le chef-lieu civil et religieux de la Gaspésie. Une partie de l'armée de Wolfe mouilla l'ancre devant Pabos en 1758 et détruisit tout ce qui s'y trouvait: 44 maisons dont le manoir, des hangars, des magasins, des filets, 3 500 quintaux de morue, 40 chaloupes et une bonne barque. Les habitants se réfugièrent dans les bois, mais ne quittèrent pas tous les rivages de la baie: les Blais, Huard, Le Breton, Grenier, Duguay y ont encore des descendants. Le seigneur François de Bellefeuille trouva asile aux Trois-Rivières où son nom vit encore.

Quant à la seigneurie, elle passa aux mains de Terroux, puis du gouverneur de Québec, Frederick Haldimand, en 1765. Il rebâtira la maison et le magasin, et des pêcheurs continueront d'y vivre jusque vers 1796. En 1811, l'évêque de Québec signale qu'il reste peu de traces de l'important noyau de jadis.

Contraste entre la douceur des rivages sablonneux
et la violence des rivages rocheux près de Pabos-Mills.

Reconstitution en plongée du poste de pêche de Pabos tel qu'il apparaissait sur un plan de 1767, envoyé par Thomas Hanson à Samuel Holland, à Québec. (Source: Archives des Terres et Forêts, P. 1A; cité par Michel Gaumond dans: *Pabos, site archéologique historique*. Dossier no 8, 1975, Dir. gén. du patrimoine, Québec, ministère des Affaires culturelles).

La légende du plan signale: la maison seigneuriale de Pabos, des magasins, des échafauds, des vigneaux, un observatoire à l'arrière-plan, des maisons, d'autres vigneaux «érigés pour servir d'aspect aux pilotes» entrant dans le havre et enfin au premier plan la «cabane des étrangers pour la pêche en été».

On ne voit plus rien aujourd'hui de cet établissement français, mais le ministère des Affaires culturelles a classé le site comme bien culturel national et entend en protéger l'avenir avec l'aide de tous les citoyens. Souhaitons qu'un jour prochain, grâce à des travaux archéologiques, résidents et visiteurs pourront mieux interpréter la vie locale d'il y a deux siècles.

Chandler, ville papetière née après 1912 sous l'impulsion d'un industriel américain du même nom, représente aujourd'hui l'exploitation forestière qui avait débuté dans la région par l'ouverture des scieries Stilson, puis des King, au XIXe siècle. La route passe ensuite par Sainte-Adélaïde puis Petit-Pabos, qu'on peut considérer comme les satellites de Chandler. Et on arrive à Grande-Rivière . . .

Vue des installations de pêcheurs du Grand-Pabos, aujourd'hui Chandler. Photo tirée de: Alfred Pelland, *La Gaspésie*.

Foyer 5
De Grande-Rivière à Percé

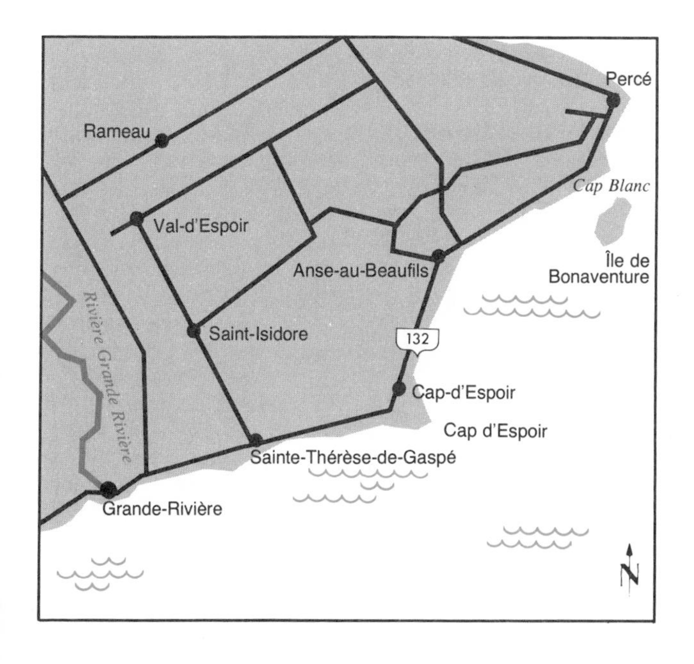

Introduction

Nous approchons du bout du monde. L'horizon marin s'est élargi. Le littoral habité apparaît assez uniforme jusqu'au cap d'Espoir mais de là, vers Percé, l'oeil bute sur la barrière montagneuse qui semble se prolonger jusqu'à la mer, comme pour s'y effondrer. Le rivage est rude, il offre un talus rouge battu par les vents et les eaux, entrecoupé à quelques endroits par des cours d'eau de faible débit dont l'embouchure a longtemps servi de refuge aux pêcheurs: la Petite Rivière et la rivière de l'anse à Beaufils.

Car, toucher aux limites de la péninsule, c'est aussi saisir près de cinq siècles de fréquentations occasionnelles ou saisonnières par les navigateurs et pêcheurs de l'Atlantique-Nord: l'île Bonaventure, l'île Percé, le cap d'Espoir reçurent leur nom avant Québec. Le mont Sainte-Anne et la Table à Roland, visibles de haute mer, servaient de repères aux pêcheurs du banc des Orphelins et du banc de Miscou longtemps avant le premier labour dans la vallée du Saint-Laurent. Sauf à Grande-Rivière, cette portion de côte redevenait déserte ou presque à chaque automne, il y a de cela 150 ans. Amorcé en 1875, le mouvement saisonnier des touristes venant du continent a suivi de peu celui des pêcheurs venant de la mer, les uns cherchant la détente et le repos, les autres n'y ayant trouvé que peines, dangers et misères.

Des vacances au bout du monde

Aucun doute possible, Percé et ses environs continuent de fasciner. On croit débarquer sur une île lointaine tant ce paysage nous déroute. Mais nous avons pris une vilaine habitude: celle d'aller nous entasser comme des «arrimes* de morues» au pied du rocher Percé, au point où notre inconséquence risque de gâter à jamais ce paysage unique. Nous vous proposons plutôt des itinéraires différents, des choix d'activité qui vous permettront d'apprécier aussi les environs immédiats. À vous de décider, de subir l'inconfort de la mise en conserve ou de jouir librement du bout du monde.

Grande-Rivière

Quand on approche de Grande-Rivière, à l'ouest, rien ne laisse croire qu'on entre dans la portion la plus anciennement occupée par les pêcheurs-agriculteurs du Régime français. Du moins rien dans le bâti, dans le paysage architectural, qui diffère, sur le chemin linéaire, du reste de la baie. Et pourtant entre 1730 et 1758, pas moins de soixante maisons s'échelonnaient de part et d'autre de la Grande Rivière, allant presque joindre le poste de Pabos qu'on vient de quitter. La raison principale de l'absence de vestiges matériels vient encore une fois des horreurs de la guerre. En septembre 1758, un détachement de soldats, après avoir brûlé Pabos, rasa totalement les établissements de la seigneurie prospère de Grande-Rivière: 60 maisons, 80 chaloupes, tous les biens, les vivres, les meubles, le bétail, les réserves de cognac et de sel, des centaines d'agrès de pêche, plus de 8 000 quintaux de poissons. Des années d'efforts annihilées!

Concédée en 1697 à Jacques Cochu, la seigneurie n'avait attiré que peu de résidents avant l'arrivée des Bellefeuille dans la baie voisine du Grand-Pabos. Mais les terres fertiles

Grande-Rivière, vers 1865. D'après Thomas Pye.
(Collection: Groupe de recherches en histoire du Québec rural)

Le havre de Grande-Rivière en 1932. Notez l'abondance de voiles, de filets, de bouées sur les barges.
(Archives publiques du Canada)

de la rive et l'abondance du poisson avaient retenu une petite communauté que la guerre vint tailler en pièces. En 1793, Charles Robin, de Paspébiac, racheta tous les droits seigneuriaux et, fidèle à sa politique, ne fit rien pour encourager la poursuite des travaux d'agriculture, poussant plutôt les résidents à dépendre de son commerce de morues. Si bien qu'en 1811 Mgr Plessis ne signale plus à Grande-Rivière qu'une douzaine de familles. Malgré tout, en 1836, l'abbé Ferland note chez les résidents une certaine aisance «qu'on ne rencontre pas dans nos plus riches paroisses du district de Québec». Il ajoute aussi que la population locale s'adonne avec excès aux joies de la chasse aux oiseaux migrateurs qui abondent tout autour. Les gens chassent surtout le dimanche et les jours de fête: simple coïncidence ou punition divine, dit-il, on ne compte plus les pouces coupés et les mains auxquelles il manque un doigt... Ce n'est pas d'aujourd'hui que l'usage des armes et de la poudre exige la prudence.

On ne retrace guère l'occupation ancienne tant la ville a connu un essor considérable depuis quelques années; tout au plus le chemin qui longe la rive ouest de la rivière offre-t-il quelques beaux ensembles, celui de l'écart en particulier. Grande-Rivière a accueilli par son initiative la première école de pêcheries en 1947 et, depuis, plusieurs stations de biologie marine s'y sont greffées. Elle forme déjà un pôle important des services dans cette portion de la péninsule et, avec Newport, le pivot de la pêche industrielle.

Sainte-Thérèse-de-Gaspé

Ce village est récent. Mais vous y trouverez un intérêt particulier sur les bords de la Petite Rivière, 2 kilomètres à l'est de l'église. Là, installée sur un plateau de la rive ouest, une entreprise de séchage de morue est en exploitation et vous pouvez observer à votre aise le va-et-vient des ouvriers. La technique du séchage n'a pas changé depuis plus de quatre cents ans: la morue est étêtée, éviscérée puis ouverte et mise à saler soigneusement. En 1706 un mémoire signalait que la morue des côtes plus petite et moins grasse que la morue du banc de Terre-Neuve convenait davantage au séchage:

Le havre de Petite-Rivière-Est, ou Sainte-Thérèse-de-Gaspé.

«Par la première, on sale dans les vaisseaux les morues comme on les tire de la mer, ce qu'on appelle les poissons verts qui n'est autre chose que de la morue blanche dont il se fait une si grande consommation à Paris. Par la seconde, on fait sécher les morues sur les côtes de la mer après les avoir salées et c'est ce qu'on appelle le poisson sec ou vulgairement merluche, qui se débite par tout le monde et dont on ne fait presque aucun usage à Paris, faute d'en connaître les mérites[1]*.»*

---

1 *Mémoire anonyme de 1706,* Archives nationales de France, Dépôt des colonies, série C-11-8, vol. 8, cité par Bona ARSENAULT, *Le rude métier de pêche,* dans *Revue d'histoire de la Gaspésie,* vol. XI, no 41, p. 11.

On allait même jusqu'à rejeter les grosses morues à la mer puisqu'on n'arrivait pas à les faire sécher, ou parce qu'il fallait trop de sel. Aujourd'hui, donc, des vignots couverts de broche de métal ont remplacé soit la grave de petits cailloux, soit les vignots couverts de branches qu'assemblaient hâtivement les pêcheurs européens.

Dès qu'il fait beau temps, vent et soleil, les ouvriers étendent la morue sur les clayes, la peau en dessous. Périodiquement, selon l'art et le flair du contremaître, la morue est tournée, retournée, mise en piles et couverte pour la nuit sous de petits abris de bois, puis réétendue, ce durant près de 21 jours. La texture et la couleur de la chair déterminent la qualité de ce produit connu à travers le monde sous le nom «Gaspé Cure»: au Brésil, au Portugal, en Italie, aux Antilles et aux États-Unis. Il s'agit d'un produit unique au Québec à cause du type de morue, de la qualité particulière de l'air, ni trop humide ni trop chaud, et de l'ardeur du soleil. De Petite-Rivière seulement, on en exporte plus de deux millions de livres annuellement; mais pas une livre au Québec...

Les spécialistes de la morue sèche ou «Gaspé cure» connue à travers le monde.
(Photo: Éditeur officiel du Québec)

Nous sommes doués pour bouder nos propres ressources (ce sont aussi les Allemands qui dégustent nos anguilles) et on pourrait reprendre les mots du mémoire de 1706 en coiffant le chapeau: «La merluche se débite par tout le monde mais on n'en fait presque aucun usage à Montréal et à Québec, faute d'en connaître les mérites.» Vive le poulet frit!

L'arrière-pays, de Sainte-Thérèse à Percé

En sortant du havre de Petite-Rivière, vous pouvez emprunter, à l'est, l'une des deux ou trois routes qui mènent à la vallée agricole du second rang. De Duguesclin à Val-d'Espoir, ce terroir offre un visage étonnant, sympathique, et propice au cyclo-tourisme. Une route paisible, vallonneuse mais pas trop, longe un chapelet de terres bien exploitées dont les bâtiments respectent un alignement rigoureux, vraiment plaisant au regard. On remarque plusieurs caractéristiques des aménagements propres à la baie des Chaleurs: maisons de taille moyenne mais flanquées de plusieurs appentis ou rallonges, présence des boucaneries à hareng, granges-étables éclatantes sous la chaux blanche et l'ocre rouge, et parfois une ordonnance des immeubles en cour semi-fermée. Et partout, enfin presque, le cheval unique, ou la «team*» qui broute en paix près du jardin en attendant la corvée de l'hiver.

Il faut pousser jusqu'à Val-d'Espoir, mettre les pieds dans cette vallée où l'histoire se raconte de vive voix: en 1914 l'abbé Poirier, de Cap-d'Espoir, eut l'idée d'attirer des colons dans cette vallée longue de plus de 13 kilomètres. Les premiers établis furent des Poirier, des Lévesque, des Marquis. Puis, en 1929, l'évêque de Gaspé, Mgr Ross, entreprit de fonder à Val-d'Espoir un monastère de cisterciens. La crise de 1930 survient pour retarder son projet, mais en revanche elle amène à Val-d'Espoir plus de mille nouveaux venus:

Épouvantail à corneilles près des vigneaux de l'Anse-à-Beaufils.

ils arrivent de partout, de la Beauce, des Cantons de l'Est, de Montréal. Tout le rang se peuple, jusqu'à Forceville, dont le nom à lui seul rappelle les sueurs et le courage de ces défricheurs, dernière vague des possesseurs du sol. En 1938, les clercs de Saint-Viateur reprennent le monastère abandonné et fondent une école d'agriculture fréquentée jusqu'en 1961.

Mais la relève est difficile depuis ces dernières années et, malgré la beauté de ce pays conquis et humanisé avec patience, Val-d'Espoir risque son avenir. Déjà Rameau, à quelques kilomètres au nord, n'est plus qu'une relique, une trace, une cicatrice au milieu de cette forêt qui reprend ses droits.

Vallée perdue, vallée du bout du monde, chaude vallée dans la chaleur de juillet...

Alignement des bâtiments agricoles dans la vallée derrière Cap-d'Espoir.

Cap-d'Espoir et L'Anse-à-Beaufils

Le cap, nommé par Jacques Cartier, connut une interprétation cartographique assez capricieuse: de «Cap d'Espérance» il passa à «Cap Despera», puis en anglais à «Cape Despair» et, à nouveau en français, à «Cap Désespoir», avant qu'on lui reconnaisse son nom actuel. Plusieurs toponymes de la Gaspésie ont ainsi subi d'irréparables outrages, surtout au XIXe siècle: Rivière-au-Renard devint Fox River, l'Anse-au-Griffon Griffin's Cove et, là où nous sommes maintenant, l'Anse-du-Cap s'appelait Cape Cove.

Il y a plusieurs points de grand intérêt à Cap-d'Espoir; tout d'abord le phare, bien sûr, à droite de la Nationale. En s'y rendant on passe devant de magnifiques fermes. À cause du changement d'orientation de la route, maintenant nord-sud, et de la présence des grands vents du «nordet», notez bien l'orientation de la plupart des grands bâtiments, des granges en particulier, nous y reviendrons plus tard.

La terre sablonneuse du cap favorise la culture de la pomme de terre et le terrain du phare surgit comme un îlot au milieu de ces champs. Au pied de ce cap, en 1711, un des transporteurs de troupe de la flotte de l'amiral H. Walker vint se briser par une nuit de violente tempête. Les débris du vaisseau pourrirent longtemps sur place, à six mètres au-dessus des eaux les plus hautes, frappant l'imagination des pêcheurs qui le nommaient «le naufrage anglais».

Peut-être aurez-vous la vision du vaisseau fantôme, comme l'a rapportée l'abbé Ferland en 1836:

«Parfois, rapporte la chronique de ces temps, le pêcheur qui s'est arrêté près du «naufrage anglais», assiste à des scènes merveilleuses; une étrange vision se déroule sous ses yeux. Les eaux sont unies comme une glace, et le temps parfaitement calme. Tout-à-coup la mer se soulève et s'agite au large; les vagues se dressent comme des collines, se poursuivent, se brisent les unes contre les autres.

«Soudain, au-dessus de ces masses tourmentées, apparaît un léger vaisseau, portant toutes ses voiles dehors et luttant contre la rage des ondes bouillonnantes. Aussi rapide que l'hirondelle de mer, comme elle, il touche à peine les eaux. Sur la dunette, sur le gaillard, dans les haubans, partout se dessinent des figures humaines, dont le costume antique et militaire convient à des soldats d'un autre siècle.

«Le pied posé sur le beaupré et prêt à s'élancer vers le rivage, un homme qui porte les insignes d'un officier supérieur, se tient dans l'attitude du commandement. De la main droite, il désigne au pilote le sombre cap, qui grandit devant eux; sur son bras gauche s'appuie, une forme drapée de longs voiles blancs.

L'anse de Cap-d'Espoir, vers 1865. D'après Thomas Pye.
(Collection: Groupe de recherches en histoire du Québec rural)

«Le ciel est noir, le vent siffle dans les cordages, la mer gronde, le vaisseau vole comme un trait; encore quelques secondes et il va se broyer contre les rochers. Derrière lui, une vague, une vague aux larges flancs se lève, s'arrondit et le porte vers le cap Désespoir. Des cris déchirants, au milieu desquels on distingue une voix de femme, retentissent et se mêlent aux bruits de la tempête et aux éclats du tonnerre.

«La vision s'est évanouie, le silence de la mort s'est étendu sur ces eaux; le vaisseau, le pilote, l'équipage épouvanté, les soldats, l'homme au geste altier, la forme aux longs voiles blancs ont disparu; le soleil brille sur une mer calme et étincelante; les flots viennent mollement caresser le pied du cap Désespoir.

«Le pêcheur est resté seul à côté des varangues vermoulues du «naufrage anglais[2]*».»*

Ce fut la même tempête qui poussa huit autres navires de la même flotte à s'écraser sur les rochers de l'île aux Oeufs, sauvant la Nouvelle-France de l'invasion que tous appréhendaient.

Du phare, nous remontons vers le nord: au passage, on est frappé par la taille des habitations domestiques, dont le volume plus grand que la moyenne dans la baie des Chaleurs rappelle plutôt l'aisance des vieux patrimoines terriens de la vallée du Saint-Laurent. C'est un microphénomène, non encore expliqué. Il est vrai que Cape Cove abritait trois firmes importantes de commerce et de cabotage, les La Parelle, Savage et Payne, qui ont pu offrir aux producteurs locaux des débouchés essentiels: cela expliquerait aussi en partie la présence du seul moulin à farine (la ferme Savage) mentionné dans ce secteur en 1876.

Les terres cultivées s'étendent sur la déclivité naturelle mais peu au delà. Le long de cette lisière, à bonne distance de la route actuelle, les ensembles architecturaux composent un paysage unique, une séquence interrompue seulement par l'église anglicane et son cimetière.

Et on arrive à L'Anse-à-Beaufils (prononcer Beaufi). Longtemps le petit havre servit de refuge aux pêcheurs de Percé, incapables de rentrer chez eux par gros temps. Puis au XIXe siècle les établissements commerciaux des Gruchy et Boudreau vinrent animer la petite anse. Aujourd'hui on y trouve concentrés les pêcheurs des environs, — de Cap-d'Espoir à Percé, et les gaspésiennes y sont nombreuses.

2 J.-B.-A. FERLAND, *Journal d'un voyage sur les côtes de la Gaspésie en 1836*, Québec, *les Soirées canadiennes, 1861*, p. 389-390, reproduit dans *Revue d'histoire de la Gaspésie*, vol. IX, no 1, p. 251-255,

À côté des installations modernes, au nord, on peut admirer l'un des derniers magasins de la compagnie Robin, Jones and Whitman, transformé en quincaillerie. D'anciens hangars, des entrepôts et même une petite grange-étable entourent le magasin. Notez encore les particularités locales: le blanc, l'ocre, la fenêtre au-dessus de la porte de grange, et la grâce de la lanterne d'aération qui coiffe le bâtiment de droite. À pied ou en vélo, ces choses se voient mieux.

Comme aussi l'implantation particulière des vastes granges-étables qu'on a accrochées aux pentes affrontant les vents de nord-est entre l'anse à Beaufils et le cap Blanc. L'ingéniosité gaspésienne a répondu à sa façon aux contraintes climatiques propres à l'endroit: les grands vents risquaient d'arracher les toitures et de coucher les pans de mur qui se dressent sur ces côtes inclinées. Aussi la sagesse populaire a enseigné l'art de bâtir des structures basses, couchées, qui offrent peu de prise aux vents. En voyant ces bâtiments, on pense aussitôt à l'eau qui coule sur le dos des canards: ici, le vent glisse sur celui des granges... Cela saute aux yeux, les architectes et les urbanistes du «nouveau Percé» ont une fois encore renié des évidences qui se trouvaient là, à portée de l'oeil. Et puisque nous arrivons à Percé, prenons vite le recul nécessaire.

Phare du cap d'Espoir.
(Photo: Éditeur officiel du Québec)

Percé

Peu d'endroits en Amérique du Nord exercent autant d'attirance. C'est un véritable magnétisme qui flotte autour de cette vallée semi-circulaire blottie contre deux masses montagneuses. Qu'on débouche par la route des caps, au pic de l'Aurore, au sud par le cap Blanc, ou encore qu'on vienne de la mer, l'effet produit reste le même: une poussée irrésistible nous mène au fond de cette niche où l'omniprésence du rocher Percé étonne et rassure. Vu du mont Sainte-Anne, Percé impressionne davantage et on songe avec humilité aux incroyables forces qui ont façonné son paysage.

Vigneaux chargés de morues. À l'arrière-plan l'île Bonaventure.

La géographie de Percé

Dès que l'on arrive à Cap-d'Espoir, le paysage de la région de Percé commence à se dessiner à l'horizon. L'île Bonaventure et le sommet tabulaire du mont Sainte-Anne se détachent nettement de l'ensemble. Là-bas, au loin, au bout des falaises rouges qui débordent le littoral, le cap Blanc sort soudainement des terres et s'avance dans la mer, tel un éperon. Ici encore, la voie ferrée doit ruser avec le paysage pour

Grange-étable située entre Cap-d'Espoir et Percé. On l'a construite sur les pentes ouvertes à l'est et la toiture surbaissée s'écrase pour offrir moins de résistance aux vents du large.

Petite grange-écurie à l'Anse-à-Beaufils. Noter l'étroite baie vitrée au-dessus des portes. C'est là une des particularités des bâtiments agricoles de la baie des Chaleurs.

Grange-étable de volume moyen, comme il s'en voit beaucoup entre New Richmond et Percé; appentis latéraux, fenêtres peu nombreuses, recouvrement de planches verticales ou parfois à clin, orientation est-ouest. Ces granges sont le plus souvent peintes à la chaux et à l'ocre rouge et couvertes de bardeaux.

éviter les fortes déclivités; dès L'Anse-à-Beaufils, le train s'éloigne du littoral et pénètre à l'intérieur des terres pour contourner les collines de Percé et déboucher sur le barachois de Malbaie. Il emprunte d'ailleurs la vallée de la rivière Murphy qui prend sa source près de Val-d'Espoir et va déverser ses eaux dans le barachois près de Coin-du-Banc. Ce parcours permet d'ailleurs de traverser la crête des collines de Percé par un défilé qui se maintient à environ 75 mètres d'altitude alors que, derrière Percé, le mont Blanc culmine à 660 mètres.

Abordé par le sud, le paysage de Percé nous semble relativement calme, les pentes sont fortes mais progressives. Il en est tout autrement lorsqu'on arrive par le nord: les falaises littorales sont abruptes et élevées quand elles ne sont pas franchement verticales et la route doit s'insinuer dans des vallées étroites, contourner des précipices ou s'engager sur de fortes déclivités pour accéder à la «niche» de Percé. Ce paysage fortement personnalisé et dominé par la masse du rocher Percé est un véritable paradis pour les amateurs de géologie. On y rencontre, en effet, toute une gamme de formations géologiques et les phénomènes spectaculaires n'y manquent pas. Dans les lignes qui suivent, nous vous présentons quelques pistes que vous aurez avantage à explorer plus à fond à l'aide de certains guides spécialisés (voir la bibliographie).

L'histoire géologique de Percé, même si elle possède certains traits locaux, s'inscrit dans l'histoire géologique de toute la péninsule. La structure d'ensemble des Appalaches gaspésiennes est orientée sud-ouest/nord-est, soit selon la direction même de l'allongement du territoire; toute l'extrémité est, de Percé à Forillon, tranche donc cette structure à la perpendiculaire, un peu à la façon d'une coupe au bout d'une pièce de bois.

Sans entrer dans les détails, on rencontre dans les environs de Percé deux séries principales de roches qui ont imprimé au paysage sa forte personnalité.

La première série est constituée de formations très anciennes qui ont été plissées, soulevées, broyées à certains endroits. Observez de près les couches de roches calcaires relevées à la verticale qui composent le rocher Percé; il y a quelques millions d'années, ces roches étaient reliées au cap Barré et à la série de caps nommés les Trois Soeurs. Comparez ces roches à celles qui affleurent dans la falaise du mont Joli elles aussi relevées à la verticale; elles diffèrent légèrement par leur composition et leur couleur. Il semble que la falaise du mont Joli corresponde à une faille, c'est-à-dire à une cassure le long de laquelle des masses de roches glissent l'une contre l'autre. Rassurez-vous! ces failles sont inactives, c'est-à-dire que les roches n'ont pas bougé depuis fort longtemps.

Le paysage fortement personnalisé de Percé. Au premier plan, l'anse du Nord; vers la droite, le cap Barré, les Trois Soeurs et, à l'arrière-plan, le pic de l'Aurore.

Les roches les plus anciennes visibles sur le littoral affleurent dans le cap Canon, elles datent d'environ 450 millions d'années. Une plaque commémorant le travail en Gaspésie du géologue W. E. Logan est d'ailleurs fixée sur un affleurement de ces anciennes roches sur le promontoire du cap Canon. Le cap Blanc, au sud de la baie de Percé, est constitué de roches d'âge intermédiaire entre celles du cap Canon et celles du rocher Percé. Ce cap est d'ailleurs l'extrémité d'une formation qui occupe une bande de plusieurs kilomètres de largeur entre Percé et la vallée de la Matapédia et même au delà. Vis-à-vis le cap Blanc, la route s'élève soudainement pour franchir cette bande de roches, avant de s'engager dans la côte Surprise.

Toutes ces roches, d'abord déposées en milieu marin puis consolidées en roches sédimentaires, ont été plissées, soulevées et cassées à plusieurs reprises. Elles ont subi l'érosion pendant plusieurs millions d'années avant qu'une dernière couche de roches ne se dépose.

Il y a environ 350 millions d'années, en effet, les roches de couleur rouge de la formation de Bonaventure se déposaient dans des bassins d'eau douce, semble-t-il, qui s'étendaient entre des collines. Les sédiments, grains de sable ou cailloux allant jusqu'à 50 centimètres de diamètre, provenant de l'érosion des collines et montagnes environnantes allaient se déposer dans ces bassins où un ciment naturel d'origine calcaire liait les éléments entre eux à la manière du béton. La présence de matières ferrugineuses dans ce ciment donne à cette formation sa couleur rouge ocre si caractéristique. Il faut savoir qu'autrefois, il y a bien longtemps, cette formation de Bonaventure recouvrait toute la vallée de Percé et rejoignait l'île Bonaventure au large.

La tête de la Grande Coupe, dans les roches de la formation de Bonaventure.

L'érosion a donc lentement modelé, au cours des derniers 100 millions d'années, le paysage que l'on peut observer aujourd'hui. Les actions combinées du gel-dégel, de l'écoulement de l'eau et l'attaque par les agents atmosphériques continuent d'ailleurs leur oeuvre autour des couches de la formation de Bonaventure qui coiffent les sommets derrière Percé. La Grande Coupe, l'«Amphithéâtre» sur le chemin Falle et la «Crevasse» sont des phénomènes qu'il faut voir.

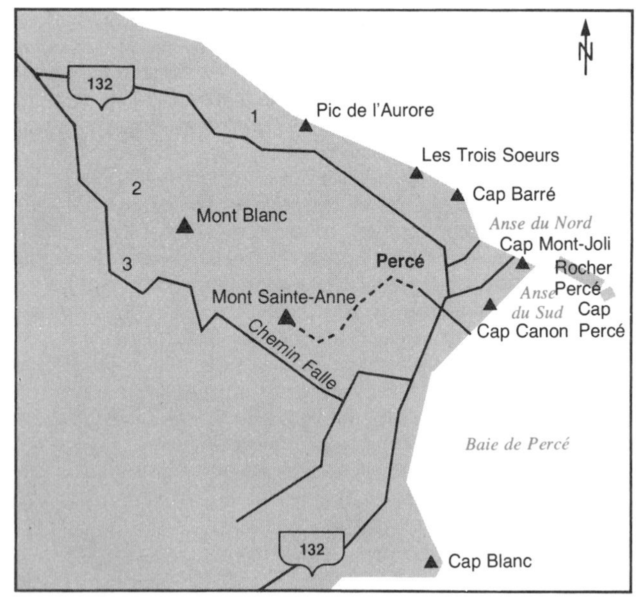

1 La Grande Coupe
2 La Crevasse
3 L'Amphithéâtre

Comprendre Percé

Qu'ajouter aux classiques nombreux et de grande qualité que naturalistes et amants de Percé ont publiés depuis l'origine de ce lieu de villégiature? Le but de votre guide et son format limité ne visent pas la concurrence mais l'éveil et la complémentarité. Voilà pourquoi il se contente de vous indiquer les sources de renseignements disponibles sur place (Centre d'histoire naturelle, Parc de l'île Bonaventure) et les meilleures publications possibles. En revanche, l'histoire culturelle de Percé, si riche et pourtant méconnue, mérite qu'on s'y attarde un peu. Et comme plusieurs auteurs nous ont laissé des témoignages directs de la vie à Percé à travers les siècles, nous les laisserons reconstituer la succession des sketches ou tableaux qui nous aident à comprendre.

L'île Percée: une vieille histoire

Le 12 juillet 1534, Jacques Cartier jeta l'ancre pour la nuit en face de l'île Bonaventure et de Percé. Toutefois, après avoir reconnu, comme il l'avait fait, les rivages des îles de la Madeleine, et les côtes maritimes où abondent les falaises abruptes, les tourelles, les rochers érodés et percés, notre merveille n'attira guère son attention. En fait, jusqu'au milieu du XVIIe siècle, Champlain lui-même étant du nombre, les voyageurs et les pêcheurs qui fréquentèrent ces rivages ne les nommèrent pas autrement qu'île Percée, lieu commode et facilement repérable de loin en mer, pour relâcher les navires, faire provision d'eau et de bois et, bien sûr, pour pêcher.

Pendant que la Nouvelle-France s'organisait péniblement à Tadoussac et à Québec, des pêcheurs français, normands, bretons et basques venaient en saison installer leurs chafauts et leurs cabanes à Percé, à Bonaventure et surtout à la baie des Molues (le Barachois de Malbaie). Si bien que la population française ici fut parfois plus considérable qu'à Québec: à plusieurs reprises des navires de Québec vinrent soit chercher des vivres, du poisson, ou confier du courrier ou des passagers à destination de la France. Percé et Gaspé étaient presque des avant-postes français en Nouvelle-France, plus facilement liés à la métropole qu'aux établissements nouveaux de l'intérieur du Saint-Laurent.

En 1653, Nicolas Denys acheta les droits sur les côtes maritimes du golfe, de Canso à Cap-des-Rosiers. Ses tentatives d'établir des pêcheurs résidents se limitèrent à la côte acadienne et il ne put vraiment contrôler le secteur de Percé, que continuèrent de s'arracher les capitaines des navires pêcheurs qui arrivaient en toute hâte à la fin du printemps. L'année même où son fils, Pierre Denys, acquérait la seigneurie de Percé, le vieux gentilhomme publiait à Paris sa *Description géographique* . . . (1672) dans laquelle on relève les notes suivantes:

Le rocher Percé, vers 1865. D'après Thomas Pye.
(Collection: Groupe de recherches en histoire du Québec rural)

«Percé en 1672»

«L'Isle Percée est une grande roche qui peut bien avoir cinquante à soixante brasses de hauteur excarpée à pied droit des deux costez, & peut avoir de largeur trois ou quatre brasses; de basse mer, l'on y va de terre ferme à

pied sec tout autour, elle peut avoir de long trois cens cinquante ou quatre cens pas: elle a esté bien plus longue, allant auparavant jusques à l'Isle de Bonne-avanture, mais la mer l'a mangée par le pied ce qui la fait tomber, & j'ay veu qu'il n'y avoit qu'un trou en forme d'arcade par où une chaloupe passoit à la voille, c'est ce qui luy avoit donné le nom de l'isle Percée; il s'en est fait deux autres depuis qui ne sont pas si grands, mais qui à present croissent tous les jours; il y a apparence que ces trous affoiblissent son fondement, & seront cause à la fin de sa ceute, apres quoy les navires n'y pourront plus demeurer: tous ceux qui y viennent faire leur pesche moüillent l'ancre à l'abry de cette Isle, à une longueur ou deux de cable d'icelles, il y a trois ou quatre brasses d'eau, en s'éloignant on trouve toûjours plus de profondeur: ils sont tous ancrez à quatre cables, & mettent des flottes ou pieces de bois de cedre à leurs cables pour les supporter crainte des roches qui sont au fonds, quand le mauvais temps vient de la mer, qui porte sur l'Isle la houlle qui donne contre & fait une ressaque qui retourne contre les navires, qui empesche que les cables ne travaillent; à la longueur de quatre ou cinq cables de l'Isle, il y a trois roches qui couvrent de pleine mer, & la plus au large est à deux ou trois longueurs de cable de la terre: ces rochers là rompent encore la mer, qui fait qu'elle n'en est pas si rude.

Figure de proue en bois sculpté, polychrome: à Percé.

«J'y ay veu jusques à unze navires pescheurs qui ont tous chargé de molüe: la pesche y est tres-abondante, on y prend grand nombre de maquereaux & harengs pour la boitte, l'éperlan, & le lanson donnent aussi à la coste où ils s'échouent qui est encore tres-bon pour la boitte, la molüe les suit, ce qui rend la pesche bonne, la terre ne l'est pas moins: le long de la coste, qui est platte, les pescheurs y ont apporté de petits cailloux pour faire une grave, afin de faire sécher la molüe; au de là de cette grave il y a des prairies où ils font des vignaux; ces prairies se sont faites par la grande quantité de sapins que les pescheurs y ont abbattus pour faire leur échaffaux, & qu'ils abattent tous les jours, toute cette coste là n'estant auparavant que sapins, à present il n'y en a plus que des petits qui y sont revenus, ils leurs en faut aujourd'huy aller chercher à la montagne qui est à deux portée de fuzil de la coste, & les apporter sur leurs épaules, ce qui est une grande fatigue, autrement ils les vont querir dans le fonds de la baye des molües avec des chalouppes; il leur en faut pour faire leurs échaffaux sans quoy ils ne pourroient habiller la molüe; la montagne est fort haute & s'apelle la table à Rolant, elle se voit en mer de dix huit à vingt lieües; elle est platte & de forme carrée, ce qui luy a donné ce nom: il y a d'autres montagnes joignantes aussi hautes. Ces montagnes-là vont toutes en descendant jusqu'au fonds de la baye des molües, qui est à trois bonnes lieuës de l'isle Percée, où la chasse y est bonne, à la saison des tourtres où les pescheurs en font grand meurtre & grande chere: Ils font des jardins où ils cultivent des choux, des pois des féves, & de la salade, ils envoyent aussi à la chasse en la baye des moluës pour se bien traitter. Mais avant que d'y entrer, parlons de l'Isle de Bonne-avanture qui est à une lieuë & demie de l'isle Percée & vis à vis, elle est aussi haute que l'isle Percée & de figure ovalle; elle a deux lieuës de tour toute couverte de sapins, parmy lesquels il se trouve aussi d'autres arbres, la chasse des lapins y est bonne, de trente collets tendus le soir, l'on a du moins vingt lapins le lendemain matin: les tourtres y abondent par la quantité des fraises & des framboises dont elles sont friandes, pour la pesche elle y est aussi bonne qu'à l'isle Percée, mais la commodité n'y est pas pareille, il n'y a de grave que pour un navire, j'y

ay veu trois navires moüiller devant une petite ance par où l'on aborde en cette Isle, tous les autres vaisseaux en cet endroit seulement peuvent avoir des vignaux, mais il faut qu'ils fassent un chemin avec des sapins depuis le bord de l'eau avec des eschaffaux qui vont toûjours en montant jusques à douze ou quinze brasses de haut par où il leur faut porter leur poisson pour le faire secher sur leurs vignaux [3].»

L'une des plus belles scènes gravées sur la vie des pêcheurs à Percé. Notez la richesse des détails.
(Picturesque Canada, 1882. Archives publiques du Canada)

Pierre Denys s'associa à deux marchands influents de Québec, Charles Bazire et Charles Aubert de La Chesnaye, et commença à développer ses postes: ceux de Percé et de Petite-Rivière dans la baie des Molues (Barachois). Il obtint un missionnaire récollet en permanence en 1673, puis un autre en 1675:

«. . . il y eut généralement, du moins à partir de 1675, deux récollets dans cette mission, mais en été seulement, à l'époque de la pêche. En hiver, comme il n'y avait à des-

---

3 Nicolas DENYS, *Description géographique et historique des costes de l'Amérique septentrionale,* p. 505-506.

servir que les habitants et les employés sédentaires, qui étaient une poignée, l'un des missionnaires retournait à Québec (le père Dethunes), tandis que l'autre s'employait aux missions des sauvages. (. . .)

« L'évangélisation des sauvages était le lot du père Chrétien Leclercq. La Gaspésie, Ristigouche, Miramichi, Nipisiguit furent le théâtre de son apostolat de 1675 à 1686, durée de son séjour au Canada, où il fut constamment attaché à la mission de Percé.

Percé vu du mont Sainte-Anne, vers 1865. D'après Thomas Pye. Le découpage des lots et les clôtures bizarres surprennent l'observateur peu habitué à tant d'exiguïté.
(Collection: Groupe de recherches en histoire du Québec rural)

« Outre leur mission de Percé, les Récollets en avaient une autre sur l'île Bonaventure, sise en face de Percé, à une petite lieue de la terre ferme. Il y avait là une modeste chapelle dédiée à Sainte-Claire, probablement construite par les soins du père Joseph Denys — lequel succéda au père Dethunes en 1683 ou 1684 — pour la commodité des pêcheurs qui y avaient leurs graves[4].»

---

4 Hugolin LEMAY, *De Québec à Percé sur les pas des Récollets*, p. 32.

Percé vu de la mer, vers 1865. D'après Thomas Pye.
(Collection: Groupe de recherches en histoire du Québec rural)

En 1678, un «Estat de la Seigneurie de l'Isle percée et dépendances» nous apprend ce qui se trouvait sur place. C'est Pierre Denys lui-même qui le dresse:
«J'ay laissé mon fils avec 5 personnes et un Père Récollet. Il y a à l'Isle percée (. . .) un grand magasin de 50 pieds de long et 25 de large suffisant pour serrer le poisson d'un navire de 300 tonneaux et loger son équipage. Il y a tout proche un petit logis pour le Commandant. (. . .) Une chapelle et logement pour deux Récollets, le tout en charpente et couvert de planches prêstes à massonner. Plus de 100 arpents de bonne terre où il y en a plus de la moitié preste à labourer et l'autre peu de travail à faire pour y mettre la charrüe.»

(Et au Barachois)
«À la petite rivière qui est à deux lieues de l'Isle percée le lieu de l'hyvernt et la ménagerie.
«Un logis suffisant pour quinze personnes . . . [5]*.»*

---

5 Pierre DENYS, *Estat de la Seigneurie de l'Isle percée et dépendance, 1680,* Archives publiques du Canada, MG-7, Collection Clairambault, dans Hugolin LEMAY, op. cit., p. 30-31.

Comme on peut le constater, les résidents étaient peu nombreux, mais à la saison de pêche près de 600 pêcheurs s'assemblaient à Percé, sans compter les Amérindiens qui venaient faire le troc. Cela dura quinze ans, au cours desquels les difficultés s'accumulèrent: l'intendant de la Nouvelle-France rétablit cette zone en pêche libre affectant ainsi les droits des Denys; ensuite, la société locale eut à affronter les désordres causés par l'ivresse, le jeu, le pugilat: «*Les pêcheurs buvaient tout le vin qui leur était fourni et, souvent, sans en conserver pour le voyage de retour. La consommation de vin était l'une de leurs rares distractions. À cette fin, ils se réunissaient dans des cabarets, bâtiments temporaires qu'ils ne manquaient jamais de construire chaque année, dès leur arrivée à Percé. Le jeu, le pugilat et les festivités du dimanche scandalisaient les missionnaires. Monseigneur de Saint-Vallier était d'avis qu'il était moins grave de travailler le dimanche que d'aller au cabaret, à condition d'assister à la messe*[6].»

Puis soudain, au mois d'août 1690, deux navires anglais, frustrés par la fermeté de Frontenac à Québec et camouflés sous les couleurs de France, apparurent dans la rade de Bonaventure. Ils capturèrent cinq barques de pêche, descendirent à Percé et ravagèrent les établissements. Selon le père Jumeau, ils commirent les pires impiétés, saccageant la chapelle, les ornements, les croix. Seule la croix de la Table à Roland, trop élevée pour leur courage, fut épargnée. Les résidents s'enfuirent dans la forêt... Tout fut rasé, y compris la mission de l'île Bonaventure.

Après cette destruction, la baie de Gaspé prit la relève car on la crut plus facile à défendre. Frontenac projeta bien de fortifier Percé, mais le roi refusa. Des pêcheurs continuèrent de fréquenter les eaux et les graves de Percé, si riches en poissons, mais à leurs risques et dépens: les rivalités

6 David LEE, *les Français en Gaspésie, de 1534 à 1760,* p. 57.

constantes entre la France et l'Angleterre, au long du XVIIIe siècle, multiplièrent, malgré des traités de paix, les attaques de corsaires et les prises de bateaux de pêche toujours vulnérables. Il n'y eut plus de résidents à Percé jusqu'après la conquête.

Percé en 1811

Sous le régime britannique, des entrepreneurs jersiais s'établirent en Gaspésie. Nous avons résumé l'histoire de Charles Robin, à Paspébiac, mais il faut savoir aussi qu'en 1772 il poussa la reconnaissance de la côte jusqu'à l'isle Percée et à l'île Bonaventure en vue d'y établir d'autres comptoirs de pêche. Il y croisa des pêcheurs venus du Rhode Island, mais il semble bien qu'à cette époque Percé avait perdu son intérêt au profit de Pointe-Saint-Pierre et de la petite grève de l'île Bonaventure. Robin garda tout de même l'oeil sur Percé.

Peu à peu, avec l'arrivée des loyalistes et du gouverneur Cox qui aimait bien Percé, le poste de pêche reprit une vie plus continue. L'activité commerciale et la faune colorée des pêcheurs venant de Jersey, d'Irlande, du Canada et de la Gaspésie recommencèrent à entretenir la réputation de centre grouillant et animé que Percé avait eue cent ans auparavant.

Percé vu par le docteur Von Iffland

«Percé est divisé en deux parties, celle du Nord et celle du Sud. Au nord est un beau coteau appelé Mont-Joli, d'où la vue peut s'étendre de tous côtés à une distance raisonnable. Et comme ce coteau est sur les bords de la mer, plusieurs personnes, dans les beaux jours de l'été, viennent y faire des parties de plaisir et y prendre le thé, pour jouir de la salubrité de l'air. C'est une promenade bien agréable que les jeunes garçons et les jeunes demoiselles fréquentent le dimanche.

«On peut regarder Percé comme l'entrepôt du commerce, tant à cause de sa situation, qu'à cause de ses pêcheries étendues, et du grand commerce de toutes sortes d'articles

qui y a lieu. Cependant je ne puis concevoir par quelle méprise le Gouvernement a établi la douane à Douglastown, à huit lieues de là.

«L'établissement de la douane à Percé feroit beaucoup de bien aux commerçants de l'Europe et d'ailleurs qui viennent de la mer, en leur épargnant un long circuit qu'ils sont obligés de faire pour obtenir du collecteur la permission de décharger et de charger ensuite leurs vaisseaux. Ce voyage nuit aux marchands comme au commerce, tandis qu'en mettant les choses dans l'ordre que j'ai dit plus haut, on donneroit aux vaisseaux un libre accès dans tous les ports ce qui les feroit avancer beaucoup; car ils ont bientôt dépéché leurs affaires. Nombre de Capitaines de vaisseaux de Caraquet qui commercent en huitres, m'ont assuré que plus d'une fois, tandis qu'ils faisoient le voyage de Douglastown, et qu'ils attendoient les papiers nécessaires, le vent changeoit; et dans l'impossibilité de sortir de ce lieu, ils perdoient toute leur cargaison.

Maison à larmier cintré caractéristique de Percé, Gaspé, Anse-au-Griffon et du Bas-Saint-Laurent en général. Sise près des exploitations Biard, apparentées aux Le Bouthillier, l'habitation possède un air de famille partagé par le manoir de L'Anse-au-Griffon. Coquette et fort bien entretenue, elle jouit d'une seconde vocation de résidence estivale.

(«Application de la Justice»)

«En disant que Percé est la place la moins policée du district, je ne crois pas dire trop, et je crois à peine que les tribus errantes de l'Amérique au tems de sa découverte pussent fournir des traits de méchanceté aussi frappants que ceux qui ont lieu tous les jours dans ce petit coin du monde.

«Le danger de voyager de nuit dans ces lieues est plus grand qu'on ne sauroit se l'imaginer. Les voyageurs, quels qu'ils soient, sont souvent insultés, et même, ce qui est bien pis, menacés de la perte de leur vie et de leurs effets. En un mot il est dans le district plusieurs endroits où restent bien des misérables flétris pour leurs crimes dans des pays étrangers, qui en changeant de patrie ne font que changer la scène de leurs déprédations.

«Les actes de barbarie qui ont lieu dans ces endroits sont je crois, suffisants pour justifier les procedès de Mr. Fox, qui pendant plus de cinquante ans a été la terreur des vagabonds.

Le volume réduit de cette habitation, enchâssée dans sa verdure, rappelle la vie des pêcheurs résidents de Percé au XIXe siècle.
(Archives publiques du Canada)

«Ce Monsieur respectable, digne ministre de la justice, étoit souvent obligé non seulement de faire la fonction de Juge, mais aussi celle d'huissier en emprisonnant les malfaiteurs qui étoient trouvés coupables, des insultes desquels il se garantissoit par le moyen d'entraves de sa propre construction. Il avoit même destiné un lieu pour fouetter les criminels de sa propre main. Ces mesures, quoiqu'arbitraires, n'étoient pas sans de grands avantages; car la loi est souvent obligée, vû la faiblesse de la puissance exécutrice, de laisser impunis des crimes dont elle reconnoit la malice.

«Je ne puis m'empêcher de dire que ces punitions étoient nécessaires dans bien des cas pour le commun avantage des paisibles habitants; mais c'étoit trop s'avilir pour un magistrat que de mettre la main sur ces misérables. Et en outre l'homme est sujet à se tromper quand il agit isolé. Une fatale erreur, un faux zèle l'emportent; quelque fois même l'esprit de parti, ou des intérêts particuliers entrainent presque malgré lui un administrateur de la justice.

«Il y a à Percé une chapelle Catholique, et pendant que j'y étois il arriva un missionnaire pour la déservir. Grande fête d'abord, mais deux heures après les chemins étoient plein de personnes ivres.

«Les pêcheries de Percé sont presque toutes aux Messieurs Robin, au capitaine Boucher, et à Mr. Flinn, qui tous employent un nombre de canadiens.

«Je ne dois pas oublier de dire ici que je dois une bonne partie de mes remarques sur Percé à MM. Déchène, Fox, Moriarty et Flinn, qui reçoivent les étrangers avec la plus grande bonté, et qui sont, je pense, les plus respectables personnes du lieu.

«Vis-à-vis de Percé, à une lieue au large, est l'Île de Bonaventure, qui est habitée par quelques commerçants principalement venus de Jersey, qui y font la pêche sur un plan assez étendu[7]*.»*

---

7 VON IFFLAND, *Aperçu d'un voyage dans le district de Gaspé pendant les mois de Mai, Juin, Juillet et une partie d'Août 1821,* reproduit dans *Revue d'histoire de la Gaspésie,* vol. VII, no 1, p. 38-40.

Vivre à Percé . . . hier

Comme on peut le constater c'est donc à cette époque que la beauté naturelle des lieux et le climat vivifiant commencèrent à impressionner les visiteurs. Et le fascinant rocher, qui défiait les hommes, s'avoua vaincu (officiellement du moins) à l'été de 1805 alors que deux hardis pêcheurs réussirent à l'escalader:

«Pour Duguay et Moriarty ce fut un beau jour que celui où ils purent se glorifier d'être arrivés les premiers au sommet de l'île Percée. Il existait bien une vague tradition qu'à certaines époques, un jeune homme aux formes herculéennes, à l'allure surhumaine, avait paru sur le cap; mais ces rêveries superstitieuses ne servaient qu'à donner un nouveau relief à la hardiesse des simples mortels, qui avaient osé braver le Génie du cap Percé, jusques dans son aire inaccessible[8]*.»*

On peut difficilement imaginer aujourd'hui ce qui composait la vie quotidienne des habitants de Percé: pêche, cueillette, chasse aux oiseaux de mer, ramassage d'oeufs et de plumes. Aussi les textes qui suivent servent à nous plonger au coeur de cette vie disparue.

Percé en 1836

«Pendant l'hiver, Percé est un village isolé, renfermant environ cinq cents âmes; la population est composée de Canadiens, de Jersiais et d'Irlandais. Comme ce poste est à cent cinquante lieues de Québec, pendant la saison des frimas et des glaces on n'y reçoit qu'une seule fois des nouvelles de l'étranger; elles sont apportées par un courrier, chargé de communiquer les révolutions du monde civilisé aux habitants de cette plage endormie. Toute la nature y paraît alors accablée par le sommeil de la mort; le commerce est enseveli sous des amas de neige, qui ne disparaissent qu'au mois de mai; des bancs de glace s'accumulent près du rivage et s'étendent au loin sur la mer; des vents lourds et froids soufflent constamment. Mais, dès les premiers

---

8 FERLAND, *op. cit.*, reproduit dans *Revue d'histoire de la Gaspésie*, vol. VIII, no 4, p. 216.

Voilà des documents sans prix. Observez bien à droite les rangs de vigneaux chargés de morues sèches et, au bout, les piles rondes qu'on appelait arrimes de morues: on empilait ainsi les poissons secs en les couvrant d'écorces avant de les charger à bord des goélettes. Notez aussi les supports où sèchent les rets (au centre), la blancheur éclatante des bâtiments aux lignes austères, les pilotis, les clôtures de pieux enfoncés, au premier plan de droite. Voilà le Percé des Robin tel qu'il apparaissait à la fin du siècle dernier.
(Collection Livernois, Archives nationales du Québec)

jours de juin, l'aspect a complètement changé; des goélettes et des navires arrivent chargés de marchandises; ils versent sur le rivage une population nouvelle, qui apporte la vie et le mouvement. Les achats se font, les marchés se concluent, les embarcations sont gréées pour la croisière, les rets et les seines se déroulent sur le rivage; au milieu des hommes occupés de leurs préparatifs, tourbillonne la cohue des enfants, des chiens et des flâneuses. Au-dessus du bruit discordant des voix humaines et canines, domine la voix solennelle de la mer, battant en mesure contre les falaises du cap Percé et du Mont-Joli. Bientôt de nombreuses berges sont poussées au large pour recueillir les richesses de la mer. Pendant toute la journée, le pêcheur est occupé sans relâche à tendre ses lignes, à les retirer, à arracher les hameçons du gau de la gloutonne morue. Il n'a pas le

Même si les figurants ont posé pour le photographe, on sent une vie débordante autour de ce grand bâtiment (qui subsiste encore, croit-on, au centre de Percé). Devant la porte, une arrime de morues; par terre sur les graves, des morues, et aussi dans le tombereau que tire le boeuf. Quel tableau saisissant!
(Collection Livernois, Archives nationales du Québec)

temps de songer à prendre le repas du midi; il se permet seulement, lorsque la faim se fait sentir, de rompre un morceau de pain, qu'il avale tout en continuant son travail.

«Au coucher du soleil, les berges se dirigent vers la terre. Si le temps est calme, des chants joyeux accompagnent le bruit cadencé des rames. Le vent souffle-t-il? Sur tous les points de l'horizon, vous apercevez des taches blanches se croisant, s'éloignant, se rapprochant; tantôt elles se cachent, tantôt elles reparaissent brillantes sur le dos de la vague. Elles grossissent; des cris de joie annoncent la rentrée au port; les berges vont se ranger auprès des chafauds, pour y décharger le produit de la pêche, et le pêcheur descend à terre, ravi d'avoir ses coudées franches, après être resté pendant toute une journée, resserré dans l'étroit espace de sa nacelle.

«Alors commence le travail des gens de terre; *hommes, femmes et enfants s'occupent à piquer la morue, à la décoller, à la trancher, à la saler; il leur faudra, dans les semaines suivantes, l'étendre, la piler, et lui faire subir de nombreuses manipulations, avant qu'elle puisse mériter le titre de morue sèche.*

«La morue sèche est ou marchande *ou de* réfection, *suivant qu'elle a été traitée avec plus ou moins de soin. On dit que la morue est marchande, lorsque, après la préparation, la chair ne présente ni taches, ni coupure, ni meurtrissure; elle se vend plus cher que l'autre, et est destinée aux marchés du Brésil, de l'Espagne et de l'Italie. La morue de* réfection *est gardée pour le Canada et les Indes Occidentales. Elle forme la principale nourriture du pêcheur gaspésien; il laissera de côté la morue marchande, comme trop insipide, et choisira pour son dîner celle dont la chair tachetée dénote que les mouches y ont déposé leurs oeufs. Ces matières étrangères produisent de la fermentation dans les parties voisines et leur donnent un goût plus piquant.*

«La morue verte ne s'apprête qu'en automne, quand les pluies deviennent trop fréquentes, pour qu'on puisse la faire

La récolte des foins à Percé en 1930.
(Archives publiques du Canada)

sécher; on se contente de l'ouvrir, de la décoller, de la nettoyer et de la saler; elle est alors prête à être empaquetée.

« Malgré l'abondance de la morue, il arrive souvent que des familles du pays n'ont pas de poisson pour le carême. Comme des navires demeurent à la côte aussi longtemps que le permet la saison, les pêcheurs leur fournissent de la morue jusqu'au dernier moment, dans l'espérance qu'il restera toujours assez de temps pour faire les provisions de la maison. Mais les approches de l'hiver, qui forcent les bâtiments de commerce à s'éloigner, obligent les pêcheurs à mettre leurs berges en lieu de sûreté; et de là naît la disette de poisson, parmi ceux qui en fournissent abondamment aux pays étrangers.

En 1760, un officier anglais dessina le rocher Percé avec ses deux arches. De retour en Angleterre le capitaine H. Smyth fit graver son tableau par P. Canot et leur témoignage résista au temps. On sait que l'arche de l'extrémité s'écroula en 1845. *(Archives publiques du Canada)*

«Trois compagnies occupent une large part du commerce de poisson, dans le district de Gaspé; ce sont les maisons Robin, Janvrin, Buteau et Le Bouthillier. MM. Le Bouthillier et Buteau se sont associés depuis peu d'années. Le chef-lieu de leurs opérations est Percé, d'où ils exportent surtout

la morue de réfection. M. Le Bouthillier dirigeait auparavant dans ce pays les affaires de la maison Robin[9]*.»*

La culture du sol se limitait aux parcelles environnantes, au jardin d'appoint, engraissés avec les déchets de morue. Les foins étaient si rares qu'on allait les couper jusque sur le rocher, suivant l'exemple des deux premiers héros:

«C'était facile de ce temps-là, du côté nord. Il y avait un sentier garni d'herbe. Au pied du rocher, on aboutait deux balestrons, on montait au bout, puis avec les mains on grimpait en haut de l'herbe. En haut il y avait une manière de table à pic qui venait à la poitrine. Là dessus on avait planté une tige de fer qu'on saisissait d'une main et houp! on était dessus. Mais il fallait être assez grand homme pour se hâler sur la pierre.

«Là on faisait les foins, les groseilles et, au printemps la cueillette des oeufs de margot. C'était une ambition à qui monterait le premier, car le premier arrivant avait la meilleure part. On grimpait donc à la dérobée par des nuits noires comme de l'encre.*
« — Le rocher est-il large en haut?
« — Large comme haut: 300 pieds.
« — On ne dirait pas ça d'en bas.
« — C'est comme ça. Tenez une preuve. Les femmes apportaient l'ordinaire aux hommes qui étaient sur le rocher; on le hissait avec une corde qui avait juste le double de la hauteur du rocher. L'homme en haut laissait descendre la corde, puis la remontait, ou plutôt, quand le dîner était accroché à la corde, il traversait le rocher de bord en bord en courant, traînant à lui la corde. Rendu de l'autre côté, exactement, il l'accrochait à un piquet planté là, et il allait de l'autre côté décrocher son dîner.
« — On ne monte plus sur le rocher?
« — Non le sentier est déboulé[10] *. . .»*

Au cours des derniers siècles, sous l'action combinée des vents et de l'eau, le célèbre rocher a changé d'aspect plu-

---

9 FERLAND, *op. cit.*, p. 365 ss, reproduit dans *Revue d'histoire de la Gaspésie*, vol. VIII, no 4, p. 207 ss.

10 LEMAY, *op. cit.*, p. 36. (Communication du vieux Pitro Lévesque.)

sieurs fois. Ainsi Champlain ne signale qu'une arche en 1603, tandis qu'une gravure de 1760 en indique bien deux. De fait l'arche de l'extrémité est s'écroula le 17 juin 1845. Philip Le Bouthillier entrait ce jour-là dans son magasin lorsqu'il entendit un bruit de tonnerre: la grande voûte venait de choir. L'érosion continue sans doute son oeuvre, aussi sûrement que l'exploitation abusive des ressources de la mer en a fait presque disparaître certaines espèces. Auguste Béchard décrit ainsi la chasse aux oiseaux à laquelle se livraient les gens de Percé, en 1888:

«En été, une multitude innombrable d'oiseaux de mer habitent le sommet du Percé. Ces oiseaux qui arrivent ici au commencement d'avril, sont des goélands, espèce de grandes mouettes, et des cormorans. Ils couvent là leurs oeufs qui éclosent vers la mi-juillet. Au commencement d'août, les petits, qui savent à peine voler alors, se jettent à l'eau ou plutôt s'y laissent tomber, pour se baigner. Une fois leurs jeunes ailes mouillées, ils sortent bien difficilement de l'eau, et le plus souvent il leur faut attendre que le soleil les ait séchées avant de pouvoir s'envoler. C'est alors qu'on leur donne la chasse: il y en a tellement que, bien souvent, on les tue avec les rames ou à coups de bâton. C'est généralement de 4 à 8 heures de l'après-midi que se fait cette chasse amusante, et rien de plus beau, rien de plus excitant! Les embarcations, ordinairement montées par trois hommes, un chasseur et deux rameurs, courent et se croisent en tous sens: ils abattent leur proie à coup de rames, et les autres, avec une adresse admirable, tirent au vol sur ceux des jeunes oiseaux qui peuvent s'élever. Les vieux oiseaux s'agitent et tournoient au-dessus des cruels chasseurs et remplissent l'air de leurs cris de détresse. Le feu roulant des fusils, dont les détonations résonnent sous les flancs du Percé, fait lever une nuée de goëlands et de cormorans qui, tous ensemble, font entendre une variété de cris aigus et assourdissants. Il n'est pas rare de voir des chasseurs revenir avec 30 ou 40 pièces de gibier par canot et après quelques heures seulement de chasse. Ces jeunes oiseaux forment un mets exquis et très recherché[11]*.»*

---

11 Auguste BÉCHARD, *La Gaspésie en 1888*, p. 88-91.

Il y a peu, l'État intervint, à temps! pour protéger les lieux de nidification. Plusieurs espèces doivent donc leur survie à cette heureuse intervention, et les multitudes ailées qui sillonnent le ciel du sanctuaire d'oiseaux qu'est devenue l'île Bonaventure continuent les arabesques étourdissantes de leur ballet aérien, sans relâche, à la grande joie des spectateurs émerveillés! Ce n'est pas la moindre attraction de l'île enchanteresse, qui dispute au géant de Percé une part de sa popularité.

Très tôt, l'île Bonaventure accueillit des pêcheurs saisonniers sur l'étroite grève du sud. Des récollets y bâtirent une chapelle qui fut détruite en même temps que les établissements de Percé en 1690. Par la suite, différentes compagnies se succédèrent, malgré le peu de sûreté des mouillages, car la pêche y était bonne.

(Canadian Illustrated News, 17 mai 1873. Archives publiques du Canada)

Les premières vagues de touristes

L'histoire du tourisme au Québec reste à écrire. Des phénomènes économiques et sociaux ont permis vers la fin du XIXe siècle à des groupes fortunés de découvrir le pays nouveau. Chemins de fer et liaisons maritimes continues ont favorisé l'envahissement progressif de régions jusqu'alors méconnues des Québécois: Tadoussac, Cacouna, Métis, Carleton, Percé, autant de destinations qui représentaient l'évasion, le pittoresque, la mer aussi, avec son air sain, ses fruits, ses plaisirs. Des Américains et des Canadiens anglais, les plus riches il va sans dire, abordèrent aux rivages de la Gaspésie, attirés par le climat, un peu aussi par ces drôles de pêcheurs au mode de vie archaïque et, beaucoup, par la pêche au saumon et le sport. Percé commença à vivre d'une autre vie saisonnière qui, au fil des ans, allait se révéler de plus en plus envahissante.

En 1915, le séjour d'un touriste à Percé était rempli de plaisirs simples, de découvertes, de rencontres, bref d'un art de vivre oublié de nos jours. Nous reproduisons les souvenirs de Mme Eugénie L. Ranger, tels qu'elle les confiait en 1965 à la *Revue d'histoire de la Gaspésie*[12]: ils forment un hommage au pays, un document social précieux et un témoignage vibrant de l'harmonie naturelle de Percé.

Percé en 1915

«*Il y a cinquante ans, le quai de la Côte Biard, au nord du Rocher, quoiqu'endommagé par les intempéries, était encore solide et majestueux; les bateaux de passagers y accostaient.*

«*J'arrivai à Percé, le 23 juin 1915, sur le* Gaspésien *qui, à partir de Campbellton, faisait la navette entre la Baie des Chaleurs et le Fleuve St-Laurent. J'étais avec ma fillette et un couple de jeunes mariés: le Docteur et Madame J. A. Mireault.*

«*En face de cette nature sauvage, hérissée* sans que rien ne bouge, *je me sentis effrayée et perdue, me rappelant aussitôt le mot un peu nostalgique du grand artiste des neiges, Maurice Cullen, avant mon départ:* «Percé! Land of bears . . .» *Quelques années après, son beau-fils venait à son tour y peindre nos paysages qu'il fixait, pour travailler, à l'intérieur de sa porte d'auto avant de venir, le soir,*

12 Eugénie-L. RANGER, *Il y a cinquante ans à Percé*, dans *Revue d'histoire de la Gaspésie*, vol. III, no 2, p. 85-91.

se détendre chez moi avec d'autres jeunesses alors célibataires: Paul Larocque, Lyne Leman, Claude Robillard et Pierre Dansereau.

«Après de multiples incidents plus ou moins déconcertants pour me trouver un logis, on me céda enfin la «Vieille maison» *paternelle du juge Flynn alors abandonnée au creux de la montagne, au pied du* «Nid du Corbeau». *Une maison délicieuse comme on n'en voit plus, meublée à l'ancienne: rabat (sofa à tiroir), table et chaises fabriquées au couteau et un* «dressoit» *vitré, dans un coin, avec treillis en bois. Dans la cuisine un poêle à deux ponts, à cheval sur des assises à moitié débordantes dans une entrée qui donnait dans le living-room; des fermoirs en bois, des clanches aux portes et un* «banc de sciaux . . .». *Pour se coucher, un lit très haut, très large, qui pouvait héberger toute une famille, pourvu d'une paillasse en foin pressé, ce qui était des plus modernes à cette époque. Les lits à l'étage supérieur n'avaient que des paillasses en pelure de blé d'inde. Michelle Le Normand, qui était venue passer les deux étés de 1917-18, après le lancement de son premier livre* Autour de la maison, *et Margot Delisle, aujourd'hui Madame Henri Rolland, venue quelques années après, pourraient vous en faire une description amusante.*

«Face à cette «chambre d'étrangers» *était une autre chambre fermée à clef, réservée par la famille Flynn. Nous l'appelions la Chambre à Barbe-Bleue et nous en avions trouvé le secret, naturellement . . . Cette chambre contenait les reliques entassées des deux générations précédentes: robes à ballons,* «bossels» *ou* «griching bag», *des* «fancy bonnettes» *que les jeunes mettaient pour se marier, et d'autres en soie plissée noires, qui servaient pour la pluie . . .; cela me fit penser qu'étant enfant, on me coiffait, pour aller à l'église, d'une de ces bonnettes en soie bleue, dentelle et gorgette.*

«Malgré toutes nos recherches, nous n'avons pu trouver la petite planche que les femmes portaient alors dans leur corset pour donner la ligne droite à leur silhouette.

«L'objet le plus étrange de cette collection-souvenir, était un ber, genre Moïse, taillé dans une seule pièce de bois. Faute d'occupant, on avait déposé là un tas de papiers de famille dissimulés sous une corbeille travaillée avec des poils de porc-épic, confection artistique des Indiens . . . Et sur la corbeille, trois noyaux de pêche! Ce qui peut sembler ridicule, pour le moins invraisemblable, quand on ne pense pas aux besoins d'alors. Ma grand'mère gardait aussi les noyaux de pêche et de prunes pour en retirer l'amande et parfumer sa crême brûlée, ce qui donna l'idée ensuite de l'essence de ratafia, dans le commerce.

«Pour tous ces trésors, je payais vingt-cinq piastres pour mes trois mois de villégiature. J'y revins pendant treize ans consécutifs, avant de déménager au village dans le cottage Dumais, aujourd'hui propriété du Juge Brasset. Cette maison que j'aimais passionnément comme un poème que l'on m'aurait dédié, avait un jardin qui sentait la menthe, un buisson d'églantines, un autre de perce-neige qui avait résisté à l'abandon, des framboisiers, des gadelliers. Le champ en déclin qui nous liait aux Caron était plein de fraises dont nous faisions notre profit; il faisait aussi celui de beaucoup d'autres qui nous les volaient. Un vinaigrier, tout en grappes rouges, faisait l'ombre dans un coin de notre paradis. (. . .)

«En ces temps lointains, il y avait des bergeries sur les côteaux, tandis qu'on laissait libres sur les routes les animaux de ferme; les jeunes prenaient le bois pour ne revenir qu'à l'automne, dérangeant de sa cachette le pauvre chevreuil, lequel égaré se précipitait sur les pics, à travers champs. Ma fillette, en ayant aperçu un près de la maison me dit: «la drôle de vache!» *Une autre fois, déconcertée, enfant de la ville à sa première expérience, elle me dit, ébahie en voyant une vache:* «Regarde donc les grands pendants d'oreille!»

«Je vivais une vie nouvelle, merveilleuse. Je me nourrissais d'agneaux des prés salés, à soixante cents le gigot. Le homard, peu apprécié alors, rejeté comme indésirable se vendait trois pour vingt-cinq et la grosse morue, cinq cents pièce. Cependant il nous manquait beaucoup de choses.

«Nous n'avions pas d'eau courante chez nous: nous nous abreuvions à même le ruisseau qui passait à notre porte. Pas de pain pour les émigrés qui s'aventurent à tenir maison! Grâce à la maison Bermingham, près de la Côte Surprise, qui me passa quelques livres de sarrasin pour mes galettes quotidiennes, je pus subsister et attendre du secours, que je trouvai au fond de la Coulée, au «Trou de chat», *dans la personne charitable et sympathique de Madame Normand qui consentit à me faire deux miches par semaine, que j'allais quérir en faisant — Mon Dieu est-ce possible! — mes deux milles pour aller et deux pour revenir. (. . .)*

«On voyait souvent des attelages de boeufs faire la grossière besogne, charroyer les têtes de morue dont on se servait comme fertilisants. Tous les matins, à cinq heures, passait un de ces tombereaux venant de «Petite France». *Le jeune conducteur, bien campé sur son siège, chantait des vieux airs du pays. Aucun Music Hall n'a produit de plus belles voix! L'artiste James fut le premier à fixer nos paysages. Une de ses peintures représentait un de ces cortèges primitifs s'abreuvant à la Grand'Coupe: petit ruisseau gazouillant au creux du précipice du Pic d'Aurore que la route nationale a anéanti à tout jamais. Le cottage qu'il habitait est devenu par la suite, la propriété de la famille Éthier. Il a toujours été remarquable par le studio couvrant toute la partie ouest du cottage.*

«Beaucoup de choses disparaissent ou s'aplanissent pendant cinquante ans. La Côte Surprise a porté son nom fièrement depuis d'innombrables années. La Voirie, dans une crise d'aplanissement, a nivelé la côte qui permettait aux voyageurs en atteignant le faîte, d'embrasser d'un seul coup d'oeil l'ensemble du village, et la longue plage jusqu'au Cap Canon. C'était féerique. La Côte Surprise n'existe plus . . .

«Zébeth qui me transportait mes grosses provisions en voiture à chien, est aussi disparue de notre horizon. Brave fille-nature, qui pratiquait tous les métiers sans penser à mal. Sa famille qui avait le coeur sur la main avait adopté

une enfant de corvée à qui le village refusait de donner asile. La maisonnette située comme un pavillon de ralliement sur un button connu de tous, étant venu à se déflorer, le frère lui redonna sa couleur en peinturant le toit avec un mélange d'huile de foie de morue et d'ocre rouge. La mère-poule était une indigente qui partait en automne, poche

Moins coûteux à nourrir que le cheval, moins sujet à la maladie, plus résistant et plus fort, le boeuf était parfaitement adapté aux tâches et aux corvées de la vie traditionnelle en Gaspésie.
(Photo: Chemins de fer nationaux du Canada)

sur le dos pour «quérir son hiver». *Elle avait épousé un Français dégradé de qui elle avait un fils plantureux, fier-à-bras, l'air d'un bandit qu'on employait comme homme de cour et qui portait pompeusement le nom de Vital de La Rosebie . . .*

«Il en faut de tous genres pour former un monde. Quand on excursionnait par le «Chemin des Dames» *au nord du village, il était rare que Mademoiselle McGinnis ne venait pas nous offrir le thé et le repos. Sa cuisine très propre était tapissée de suppléments illustrés de* «La Presse» *et gardée par un gros chat aveugle.*

«Si, comme il nous arrivait souvent, on prenait à gauche par la Côte à Stibre, qui se dirigeait, en ce moment-là vers le café Arbour, aujourd'hui le Gargantua, en tirant à gauche de l'église protestante, on arrivait à ma porte. De là partait la courte avenue appelée «Chemin du brouillard», *ainsi nommée parce que la brume se formant toujours au suroît, le prenait pour se rendre au Mont Sainte-Anne.* «Quand le brouillard couronne le Mont Sainte-Anne, le mauvais temps est proche», *disait le dicton. Ce chemin bifurquait vers l'Irlande chez un Monsieur Aubert, très habile dans la confection de paniers avec des branches d'aulnes . . . Aucun touriste ne partait sans son panier.*

«Les Gaspésiens sont polis, accommodants dans leurs allures et leurs habitudes. Leur langage, scandé de deux syllabes en deux syllabes, quoique difficile aux oreilles étrangères, était émaillée de locutions locales et plaisantes. Quand on s'informait de leur santé, on les entendait dire

Percé vers 1905: le déboisement y était intensif, le chemin tortueux, le bâti plutôt clairsemé. C'était avant la venue des touristes.
(Collection Notman, Musée McCord de Montréal)

souvent «Ça file pas ben à matin; j'ai le foie, la mort me travaille.» *Leur vocabulaire se ressentait de l'habitude normande. On appelait* rompies *les amas de glace en hiver sur la plage, on* dégradait *les patates; on* émaillait *le poisson (enlever les vers), on disait* je vous expère *(relevé aussi chez Madame de Sévigné et Chateaubriand), on appelait* mollière *ou* roulière *les sols marécageux. Dans le* «Cook-room», *réduit des pêcheurs qui y venaient manger et des autres des pics qui s'y rendaient dormir, je me rendais interviewer, d'étape en étape, un vieux marcheur qui me racontait des légendes et se souvenait de s'être éclairé à l'huile de foie de morue et d'une mèche de cotonnade.*

«L'Hôtel Percé Rock n'était pas seulement un abri mais aussi le rendez-vous des gens chics qui la remplissaient dès juillet; les Juges Chauvin, Panneton, Mgr Gauthier, Messieurs Édouard Montpetit, Archambault, Lasalle, Dansereau, Honoré Parent, les artistes Henri et Adrien Hébert, le Sénateur Lucien Moreau, Mesdames Prévost, Auger, Éthier et d'autres! L'Hôtel Bisson était en vogue, amusait sa clientèle. Je me souviens d'une mascarade où le Docteur Pariseau: «Bébé du jour» nous était arrivé vêtu d'une couche et . . . d'un biberon. Premier prix de la soirée! Le docteur n'avait pas eu grand mal à faire son costume tandis que j'en avais taillé et faufilé trois dans ma journée: un pour Gilberte Christin, devenue la Marquise G. De Cardaillac, un deuxième pour Pauline, sa soeur, aujourd'hui mariée à Guy Montpetit, l'autre pour ma fillette. Cet affolement de rire, de détente, de curiosité et d'intérêt envers le pays et le peuple fit du début du tourisme à Percé une ère mémorable que jamais n'atteindra le Progrès . . .»

Hélas, Percé a succombé. Il y a vingt ans on aurait pu encore sauvegarder le paysage essentiel, l'intégrité non pas seulement du rivage mais de toute la vallée. Le laisser-faire, le chancre dévorant du profit, l'architecture et les concepts importés ont souillé la vue et l'esprit des lieux. Irrémédiablement? Percé appartient aux Gaspésiens d'abord, aux Québécois ensuite, et ensemble avant qu'il ne soit trop tard nous pouvons sûrement réorienter les planifications hasardeuses qu'on voudrait imposer . . .

Percé aujourd'hui

Si l'endroit signifie encore «bout du monde», il reste qu'on le connaît mal, qu'on s'y entasse sans le voir, sans y vivre. Les instruments et les outils nécessaires pour le déchiffrer augmentent d'année en année: les guides spécialisés, le Centre d'histoire naturelle contribuent à vous renseigner.

Il suffit ensuite de rayonner, de ne pas avoir peur de marcher, de pédaler, d'escalader. Il y a la halte routière et le chemin de la croix sur le mont Sainte-Anne. Vous vous devez aussi d'emprunter le beau rang agricole qui mène à Flynn, où de superbes ensembles domestiques s'accrochent aux pentes du plateau. Et, bien sûr, le village même de Percé, ses vieux magasins et ses entrepôts, ses maisons et ses cottages, le cap Barré, le mont Joli: leur charme paraît plus grand hors les périodes de grande affluence, avant juillet et après août. Le centre d'art de Percé offre aussi un programme varié de spectacles, d'événements et d'attractions.

Et on ne parle pas des plaisirs de la table, des rencontres, de la foule animée, joyeuse et du climat détendu qui ne se décrivent pas mais demandent qu'on les savoure. La tradition la plus vivante de Percé semble bien être cet esprit de relâchement que nous partageons maintenant avec les pêcheurs d'il y a trois cents ans, jetés à chaque saison sur cette côte lointaine, au bout du monde.

Après six jours de misères et de pêches harassantes, ils s'arrangeaient de beaux dimanches... qui sont devenus nos deux semaines annuelles d'évasion.

Foyer 6
De Coin-du-Banc à Douglastown

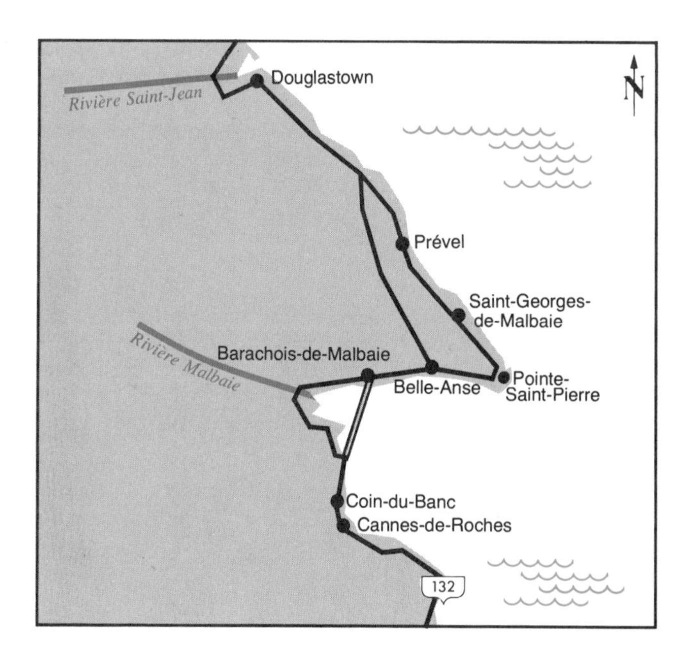

Introduction

Sortant des escarpements et des côtes vertigineuses de Percé, la grande baie des Molues qu'on découvre en débouchant au coin du barachois apparaît comme une accalmie bienveillante. L'immense barre à choir étend son bras rassurant comme pour protéger la baie des assauts de la mer. Les hommes ont tiré parti rapidement de ces baies sécuritaires. Les Amérindiens tout d'abord, que les premiers missionnaires crurent bon de rassembler ici dès 1675, puis les pêcheurs sédentaires hivernant et cultivant à l'abri des vents froids et des pillards. Quant au barachois de Douglastown, un premier noyau d'Irlandais et de loyalistes s'y établit à la fin du XVIIIe siècle trouvant aussi le lieu fort propice tant pour la pêche que pour l'agriculture.

Entre ces deux baies bien protégées, s'étire une côte rugueuse, coupée çà et là de pointes (Pointe-Saint-Pierre) et d'anses occupées par intermittence (L'Anse-à-Brillant). Les ressources marines deviennent plus variées à cette hauteur et, si la morue a dominé, a également été pratiquée la pêche à la baleine, au loup marin, au maquereau, au flétan. Les plus jolies implantations agricoles se trouvent sur les pentes ensoleillées de Barachois-Nord et dans la magnifique vallée derrière Douglastown.

Parce que l'oeil rencontre sans cesse un horizon vaste mais non illimité, que la rudesse alterne avec la douceur, les paysages de cette région forment une belle synthèse de la topographie gaspésienne. En outre on y voit facilement l'exemple type de l'insertion humaine puisque ancienneté et densité de l'occupation coïncident avec les lieux accueillants.

Cannes-de-Roches

Quand vous quittez les lacets complexes de la Grande Coupe du nord de Percé, vous traversez une agglomération qu'on nomme Cannes-de-Roches. Ce nom ne vient ni du bâton, ni de l'allure fragile des strates rocheuses qu'on aperçoit sur la grève, mais bien des cormorans noirs, ou plutôt de leurs femelles, les canes, qui nichent en abondance le long de cette côte abrupte. Les pêcheurs les nommaient ainsi familièrement et le nom a survécu.

Peu de choses restent encore cependant des tentatives de culture dans cette vallée étroite aux pentes fortes. La traction animale s'y adaptait, mais point la machinerie moderne. Si des gens vivent encore dans les maisons accrochées aux corniches, c'est grâce aux emplois de Percé et des environs.

Sac au dos, muni de jumelles, vous trouverez plaisir à explorer la lisière de ces friches et, qui sait? vous découvrirez peut-être une anse perdue, oubliée du monde, et qui vous espère!

Chapelle de St. Lukes à Coin-du-Banc. Enfouie sous la verdure, elle veille sur le dernier repos des immigrants anglophones qui ont domestiqué les abords du grand barachois.

Coin-du-Banc

À vrai dire, c'est à bicyclette et pas autrement qu'on peut jouir de cette partie de la baie. Près du rivage, autour d'une auberge, subsistent encore quelques magnifiques ensembles de maisons et de dépendances, témoins d'une solide aisance des résidents. Anglophones, pour la plupart, parmi lesquels plusieurs Irlandais, ils vivent ici, depuis le milieu du XIXe siècle, d'agriculture et de pêche. De là, vous pouvez aller flâner sur le barachois ou, mieux, y observer la faune variée soit du rivage marin, soit des marais du fond de la baie. Les amateurs de canotage s'en donnent à coeur joie dans les lagunes et le chenal tranquille de la rivière Beattie. La plage publique offre aussi beaucoup d'avantages.

Et si vous vous trouvez là un beau dimanche matin, rendez-vous, mine de rien, à l'office religieux de la petite chapelle anglicane de Saint Lukes. Coquette, dissimulée humblement dans sa verdure, la chapelle blanche dégage un charme simple que rehaussent de faux contreforts, des vitraux pleins de lumière et une ferronnerie recherchée. Le *Father* vous laissera visiter quelques instants, si vous le lui demandez.

Le cimetière ombragé contient des stèles aux noms révélateurs, Vibert, Mabe, Mace, Beck, guère plus. Et de là, on se prend à envier la beauté du terroir qu'ils ont créé, loin de leur patrie, et au sein duquel ils reposent. On peut voyager dans l'espace, mais rien n'interdit de voyager aussi dans le temps et le passé de ces immigrants, chassés des vieux pays par les famines, les querelles de religion ou le choc de l'industrialisation, d'évoquer le souvenir des traversées malsaines et dangereuses à bord de vaisseaux infectés, d'imaginer l'arrivée dans ce pays vierge, rude, encore peu civilisé mais tolérant et libre. À la recherche du temps perdu les pelouses de Saint Lukes vous invitent peut-être: leur vert velouté recouvre un terreau très fertile que l'historien, chevronné ou en herbe, aura plaisir à remuer et interroger.

Géographie des barachois

Le phénomène le plus caractéristique et le plus spectaculaire de la géographie littorale de la baie des Chaleurs, c'est sans doute cette succession de barachois aux formes variées. Fixés à l'embouchure des rivières ou projetés en pleine mer, ils occupent dans l'espace géographique et dans l'espace culturel des Gaspésiens une place importante. Ce sont des lieux privilégiés où le contact entre la terre et la mer peut s'établir. Le nom que l'on donne d'ailleurs à ces accumulations de sable sous forme de bancs allongés a une connotation culturelle; le mot dérive de barre à choir et, en effet, les pêcheurs pouvaient échouer leurs barques sur ces plages sablonneuses sans craindre qu'elles ne se brisent sur des rochers affleurants. Par extension, barachois désigne maintenant tout cet espace littoral constitué d'un plan d'eau isolé de la pleine mer par un ou des bancs de sable; généralement une petite ouverture permet des échanges d'eau entre la mer et la lagune, ouverture par où les pêcheurs accèdent à l'intérieur du barachois pour y abriter leurs barques.

Ce phénomène est le produit de la dynamique littorale, c'est-à-dire de la circulation de l'eau sous forme de courants, de marées, de vagues, le tout influencé par la puissance des vents; l'eau douce que les rivières livrent à leurs embouchures influence aussi cette dynamique. Le sable et le gravier avec lesquels sont construits ces bancs proviennent de l'érosion, d'abord à l'intérieur des terres, en particulier dans les massifs élevés, et ensuite le long du littoral dans les falaises ou à même les anciens dépôts de sable et de gravier des terrasses. Dans le premier cas, les rivières transportent ces matériaux jusqu'à la côte; dans l'autre cas, ce sont les courants marins et les vagues qui les déplacent. Toujours est-il qu'à certains endroits le long du littoral, certaines conditions favorisent l'accumulation de bancs de sable aux formes diverses. Lorsque l'eau est agitée, elle transporte facilement du sable et du gravier, mais lorsque cette agitation cesse, le sable et le gravier se déposent. Somme toute, les bancs de sable sont des témoins, en même temps que le résultat, de changements dans la dynamique littorale.

Jusqu'ici, vous avez eu l'occasion d'observer deux types de barachois qui diffèrent surtout par leur mode de construction et leur localisation dans le paysage.

Le premier type représenté par les barachois de Carleton et de Paspébiac prend la forme d'un triangle dont la base correspond à la côte. Ce sont deux cordons littoraux projetés en pleine mer qui enferment une lagune. Un petit chenal, que les Français nomment un grau, permet des échanges d'eau entre la lagune et la mer. Les cordons de sable ne constituent en réalité que la partie émergée d'un vaste ensablement qui se prolonge sous l'eau; les navigateurs le savent bien et ils se méfient du profil changeant des fonds marins.

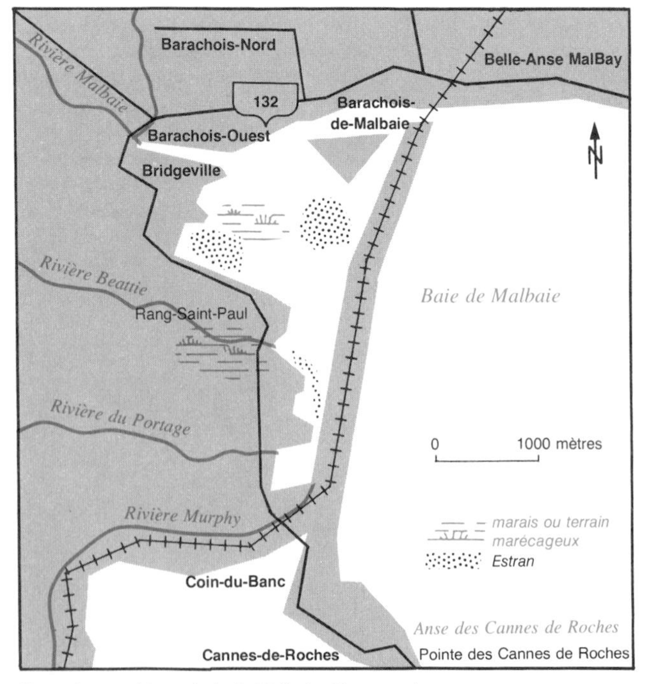

Carte du grand barachois de Malbaie. Observez le réseau hydrographique, les formes du littoral et, bien sûr, la toponymie.

Le deuxième type de barachois se rencontre aux embouchures de rivières importantes, telles la Bonaventure, la Nouvelle, la Port-Daniel Nord, l'ensemble des rivières se jetant dans la baie du Grand Pabos et plusieurs autres. Cependant, l'immense barachois qui occupe le fond de la baie de Malbaie est le plus spectaculaire de par sa dimension et la netteté des formes. Nous vous conseillons d'ailleurs de le parcourir, d'y observer les relations entre les organismes vivants et les caractères physiques des lieux, de voir finalement comment les hommes ont occupé, aménagé et exploité ce paysage.

Le développement de ce type de paysage est lié à certains caractères des rivières gaspésiennes; en effet, elles sont en général, très encaissées et leurs embouchures sont larges et évasées. En conséquence, la mer vient rejoindre le cours de la rivière derrière la côte pour former de petits estuaires, c'est-à-dire des zones où se mélangent les eaux salées de la mer et les eaux douces des rivières et où la marée se fait sentir. Il se développe alors une zone de contact entre la mer et la rivière. La barre de sable ou cordon littoral qui referme cet espace et l'isole du large marque la limite entre le milieu marin et la lagune, où se font sentir les influences maritimes et fluviatiles (rivières). En effet, ce cordon de sable correspond à un front entre les deux milieux qui entrent en contact. Il en est à la fois le résultat et le témoin.

Le barachois est un milieu en constante évolution où chaque année s'accumulent de plus en plus de sédiments et d'alluvions. C'est un peu le «bassin de décantation» des rivières, en particulier lors des crues printanières. Au fond, là où celles-ci débouchent dans le barachois, des deltas s'édifient. En effet, dès que le courant faiblit, les sédiments grossiers se déposent et quand l'eau se tranquillise les sédiments fins se décantent. Ce phénomène empâte le chenal principal de la rivière et l'oblige à se séparer quelquefois en plusieurs bras. Progressivement donc le barachois se comble, des îles se formant de-ci de-là. Heureusement, l'accélération du courant, lorsque la marée baisse et que le barachois se vide, maintient un chenal suffisamment profond pour permettre aux petites embarcations de pénétrer à l'intérieur.

Barachois

Quand on traverse la baie et que peu à peu on s'approche du village de Barachois, établi près du chenal navigable de la rivière Malbaie, la description qu'en faisait Nicolas Denys, il y a trois cents ans, révèle toute sa précision:

«Sortant de Bonne-Aventure & de l'isle Percée, l'on entre en la baye des molües qui a quatre lieues d'ouverture & trois de profondeur, le costé qui joint l'isle Percée sont ces montagnes qui vont en baissant jusques au fonds; de cette baye où est l'embouchure d'une petite rivière de barre, les chalouppes n'y entrent que de beau temps, la mer assèche assez loin de l'entrée, il n'y a pas grande eau dedans de basse mer, sinon un petit canal pour des canots; c'est une grande étendue de platins & de prairies qui rendent la chasse abondante & la pesche de toutes sortes de coquillages; le saumon y monte en quantité, ce lieu-là est assez agréable, la terre bonne & toutes sortes d'arbres & fort gros, il s'y trouve de beaux sapins, si les pescheurs ont manque de mâture, ils la vont chercher en ce lieu[1].*»*

Pierre Denys de La Ronde édifia ici dès 1672 un poste d'hivernement pour ses pêcheurs; on comptait *«un logis suffisant pour quinze personnes, un magasin à vivres et à ustenciles de barque et de chalouppe, une grange et une estable pour 20 bestes à cornes, 30 arpens de terre découverte, une cour, un jardin, le tout clos de pieux debout»*. On vidait littéralement l'établissement de Percé, à chaque automne, pour venir hiverner à la «petite rivière», en ce lieu plus favorable, mieux abrité, abondant en gibier, en poissons. Il semble aussi que Chrestien Le Clercq, récollet, passa quelques hivers avec les résidents, profitant de la proximité des campements amérindiens pour tenter de les évangéliser. Il fit davantage. Il écrivit sa *Nouvelle Relation de la Gaspésie* qui nous permit de mieux connaître les Amérindiens de la péninsule. Au fait, d'où venaient-ils, qui étaient-ils au juste?

---

1 Nicolas DENYS, *Description géographique et historique des costes de l'Amérique septentrionale*, p. 507.

Les Micmacs de la Gaspésie

Parmi tous les groupes d'Amérindiens qui fréquentaient la Gaspésie aux XVIe et XVIIe siècles, les Micmacs semblent être les plus assidus, en particulier après l'expulsion définitive des Iroquois qui venaient y faire la pêche en été.

Ainsi, au tout début de la période historique, avant que ne commence l'occupation des terres par les Européens, les Micmacs habitaient le Nouveau-Brunswick, la Nouvelle-Écosse, l'Île-du-Prince-Édouard et la péninsule gaspésienne surtout du côté sud. Leur mode de vie traditionnel basé sur les activités complémentaires de chasse, de pêche et de cueillette les amenait à se déplacer à l'intérieur de ce vaste territoire suivant le rythme des saisons. Il semble cependant que le milieu marin était le plus grand pourvoyeur d'aliments puisque, selon Hoffman, les Micmacs pouvaient y tirer jusqu'à 90 pour 100 de leur consommation annuelle de nourriture. Citant plusieurs auteurs, Georges Barré (1975) résume ainsi leur cycle annuel:

«À la mi-mars ou au début d'avril, les Micmacs se rendaient sur la côte (...), ils se livraient à la cueillette des pétoncles, des moules, des palourdes et des crabes. Pendant les mois d'avril, mai et jusqu'à la mi-juin, ils pêchaient l'éperlan, l'esturgeon, le saumon, le hareng, la truite de ruisseau et le gaspareau. C'est durant cette période également, qu'ils interceptaient les migrations printanières des oiseaux; ... surtout l'oie sauvage, le canard, la sarcelle, la bécassine, le courlis et l'outarde; ils effectuaient aussi la cueillette des oeufs d'oiseaux dans les îles. De la mi-juin à la mi-juillet, ils pêchaient le capelan, l'alose et le maquereau. Enfin, de juillet à septembre, ils faisaient la cueillette des baies sauvages ... Vers la mi-septembre, les Micmacs retournaient à l'intérieur des terres où ils pêchaient le saumon et le hareng qui frayaient dans les rivières ainsi que la truite de ruisseau et l'anguille.

«La chasse à l'orignal, au castor et à l'ours qui se faisait durant toute l'année était pratiquée plus intensément en octobre et novembre d'abord, puis en mars et en avril.

«En décembre et en janvier, ils pêchaient la petite morue et l'éperlan, durant leur période de fraie; c'est à la même époque qu'ils effectuaient la cueillette des tortues.

«Signalons enfin que les Micmacs chassaient différentes espèces de mammifères marins comme le dauphin, le marsouin, le morse et le phoque. Selon Hoffman . . ., ils chassaient aussi les petites variétés de baleine comme le beluza [2].»

Lorsque le récollet Chrestien Le Clercq commença sa mission en Gaspésie vers 1675, il avait déjà été précédé par d'autres missionnaires qui avaient tenté d'évangéliser et de sédentariser les Micmacs, mais sans grand succès. Tous ces contacts, cependant, autant avec les missionnaires qu'avec les pêcheurs européens, avaient eu des influences profondes sur la culture traditionnelle des Amérindiens. Depuis au moins 150 ans, deux civilisations aux valeurs extrêmement différentes s'étaient «entrechoquées» et, malgré la résistance des autochtones, l'introduction, par le biais du commerce des pelleteries, d'objets et d'outils nouveaux allait engendrer de profondes modifications aux niveaux social et économique, sans parler des effets sur l'état de santé des Amérindiens.

Cette conversation rapportée par Le Clercq entre un Indien et un Français qui méprise les façons de vivre des Micmacs nous montre bien l'importance des différences entre les deux cultures, de même que la très grande estime que les Micmacs ont d'eux-mêmes:

«Je m'étonne fort, que les François aient fi peu d'efprit, qu'ils en font paroître dans ce que tu viens de dire de leur part, pour nous perfuader de changer nos perches, nos écorces, & nos cabannes, en des maifons de pierre & de bois, qui font hautes & élevées, a ce qu'ils difent, comme ces arbres! hé quoy-donc, continua-t-il, pour des hommes de cinq à fix pieds de hauteur, faut-il des maifons, qui en aient foixante ou quatre-vingts; car enfin tu le fçai bien toy Patriarche, ne trouvons nous pas dans les nôtres tou-

2 Georges BARRÉ, *Cap-Chat (Dg-Dq). Un site du Sylvicole moyen en Gaspésie*, p. 3-4.

tes les commodités, & les avantages que vous avez chez vous, comme de coucher, de boire, de dormir, de manger & de nous divertir avec nos amis, quand nous voulons? Ce n'eft pas tout, dit-il, s'adreffant à l'un de nos Capitaines; mon frere, as-tu autant d'adreffe & d'efprit que les Sauvages, qui portent avec-eux leurs maifons & leurs cabannes, pour fe loger par tout ou bon leur femble, independamment de quelque Seigneur que ce foit? tu n'eft pas auffi brave, ni auffi vaillant que nous; puifque quand tu voyages, tu ne peus porter fur tes épaules tes bâtimens ni tes édifices; ainfi, il faut que tu faffes autant de logis, que tu changes de demeure, ou bien que tu loges dans une maifon empruntée, & qui ne t'appartient pas; pour nous, nous nous trouvons à couvert de tous ces inconvéniens, & nous pouvons toûjours dire plus veritablement que toy, que nous fommes par tout chez nous, parceque, nous nous faifons facilement des Cabannes par tout ou nous allons, fans demander permiffion à perfonnes tu nous reproche affez mal à propos, que nôtre païs eft un petit enfer, par rapport à la France, que tu compares au Paradis Terreftre, d'autant qu'elle te fournit, dis-tu, toutes fortes de provifions en abondance; tu nous dis encore que nous fommes les plus miferables, & les plus malheureux de tous les hommes, vivans fans religion, fans civilité, fans honneur, fans fociété, & en un mot

Femmes micmaques à l'intérieur d'une habitation traditionnelle.
(Photo: New Brunswick Museum)

ſans aucunes regles, comme des bêtes dans nos bois & dans nos forêts, privez du pain, du vin & de mille autres douceurs, que tu poſſedes avec excez en Europe. Hé bien, mon frere, ſi tu ne ſçais pas encore les veritables ſentimens que nos Sauvages ont de ton païs, & de toute ta nation, il eſt juſte que je te l'apprenne aujourd'huy: je te prie donc de croire que tous miſerables que nous paroiſſions à tes yeux, nous nous eſtimons cependant beaucoup plus heureux que toi, en ce que nous ſommes tres-contens du peu que nous avons, & crois encore une fois de grace, que tu te trompes fort, ſi tu prétens nous perſuader que ton païs ſoit meilleur que le noſtre car ſi la France, comme tu dis, eſt un petit Paradis Terreſtre, as-tu de l'eſprit de la quitter, & pourquoy abandonner femmes, enfans, parens & amis? pourquoy riſquer ta vie & tes biens tous les ans, & te hazarder temerairement en quelque ſaiſon que ce ſoit aux orages, & aux tempêtes de la mer, pour venir dans un païs étranger & barbare, que tu eſtimes le plus pauvre & le plus malheureux du monde: au reſte comme nous ſommes entierement convaincus du contraire, nous ne nous mettons guere en peine d'aller en France, parce que nous apprehendons avec juſtice, d'y trouver bien peu de ſatisfaction, voïant par experience que ceux qui en ſont originaires en ſortent tous les ans, pour s'enrichir dans nos côtes; nous croïons de plus que vous eſtes encore incomparablement plus pauvres que nous, & que vous n'eſtes que de ſimples compagnons, des valets, des ſerviteurs & des eſclaves, tous maîtres, & tous grands Capitaines que vous paroiſſiez, puiſque vous faites trophée de nos vieilles guenilles, & de nos méchans habits de caſtor, qui ne nous peuvent plus ſervir, & que vous trouvez chez nous par la peſche de Moruë que vous faites en ces quartiers, de quoy ſoulager vôtre miſere, & la pauvreté, qui vous accable: quant à nous, nous trouvons toutes nos richeſſes & toutes nos commoditez chez nous-mêmes, ſans peines, & ſans expoſer nos vies aux dangers où vous vous trouvez tous les jours, par de longues navigations; & nous admirons en vous portant compaſſion dans la douceur de nôtre repos, les inquietudes & les ſoins que vous vous donnez nuit et jour, afin de charger vôtre navire: nous voïons même que tous vos gens ne vivent ordinairement, que de la Morüe que vous pêchez chez nous; ce n'eſt continuellement que Morüe, Morüe au matin, Morüe à midi, Morüe au ſoir, & toûjours Morüe, juſques là même, que ſi vous ſouhaitez quelques bons mor-

ceaux; c'eft à nos dépens, & vous êtes obligez d'avoir recours aux Sauvages, que vous méprifez tant, pour les prier d'aller à la chaffe, afin de vous régaler. Or maintenant dis-moi donc un peu, fi tu as de l'efprit lequel des deux eft le plus fage & le plus heureux; ou celui qui travaille fans ceffe, & qui n'amaffe, qu'avec beaucoup de peines, de quoi vivre; ou celuy qui fe repofe agreablement, & qui trouve ce qui luy eft neceffaire dans le plaifir de la chaffe & de la pêche. Il eft vray, reprit il, que nous n'avons pas toûjours eu l'ufage du pain & du vin, que produit vôtre France: mais enfin avant l'arrivée des François en ces quartiers, les Gafpefiens ne vivoient-ils pas plus long-temps qu'à prefent? & fi nous n'avons plus parmi nous de ces vieillards de cent trente à quarante ans, ce n'eft que parce que nous prenons infenfiblement vôtre maniere de vivre, l'experience nous faifant affez connoître que ceux là d'entre nous vivent d'avantage, qui méprifans vôtre pain, vôtre vin, & Vôtre eau de vie, fe contentent de leur nourriture naturelle de caftor, d'orignaux, de gibier & de poiffons, felon l'ufage de nos ancêtres & de toute la nation Gafpefienne. Aprens donc, mon frere, une fois pour toutes puifqu'il faut que je t'ouvre mon coeur, qu'il n'y a pas de Sauvage, qui ne s'eftime infiniment plus heureux, & plus puiffant que les François. Il finit fon

Sur les terrasses de Barachois-Nord,
la nature se fait courbe, douce, agréable.

difcours par ces dernieres paroles, difant qu'un Sauvage trouvoit fa vie partout; qu'il fe pouvoit dire le Seigneur & le Souverain de fon païs, parce qu'il y refidoit autant qu'il lui plaifoit avec toute forte de droits, de pêche & de chaffe, fans aucune inquietude, plus content mille fois dans les bois & dans fa cabanne, que s'il êtoit dans les Palais, & à la table des plus grands Princes de la Terre[3].»

Pour compléter ces informations bien rudimentaires sur les Micmacs, leur mode de vie, leurs moeurs, leurs coutumes et leur histoire, nous vous conseillons plusieurs volumes et brochures; consultez la bibliographie à la fin du volume.

Vue de la pointe Saint-Pierre, vers 1865. Il ne reste plus aujourd'hui que le souvenir de ces activités: pêche, construction navale. D'après Thomas Pye. *(Collection: Groupe de recherches en histoire du Québec rural)*

On peut encore admirer à Barachois plusieurs éléments du vieux tissu architectural, un magasin de la Robin, Jones & Whitman datant du début du siècle, l'église anglicane, jumelle de celle de Coin-du-Banc, ainsi que quelques anciennes

3 Chrestien LECLERCQ, *Nouvelle Relation de la Gaspésie . . .*, p. 76-85.

habitations qui achèvent de disparaître. Mais le point de vue le plus révélateur de la grande beauté de ce terroir, on le découvre en empruntant, à gauche au village, la route de Barachois-Nord. Là, sur la crête du coteau, s'étalent de très beaux ensembles agricoles, semés irrégulièrement sur les pentes et entourés de ce type particulier de clôtures de perches rondes qui ondulent selon les accidents du sol. Au loin, la barre de sable se perd dans l'horizon brumeux d'où émerge le rocher de Percé. La nature se fait toute courbe, douce, agréable.

De Barachois à Pointe-Saint-Pierre

La route qui longe la baie offre autant de nouveaux points d'observation que connaît de variantes l'arrière-plan, le rocher Percé demeurant en arrière-scène. À Belle-Anse, un ancien portage vers Bougainville, à gauche, a été remplacé par une route qui coupe la pointe et débouche à L'Anse-à-Brillant, mais il vaut mieux poursuivre sur la Nationale pour ne rien manquer de ce qui suit. À Mal Bay, une industrie de séchage de la morue, entourée de vignots

Aujourd'hui à la pointe Saint-Pierre. Au large, la petite île Plate.

chargés, pourrait piquer la curiosité; nous référons le lecteur aux pages du chapitre précédent (Sainte-Thérèse-de-Gaspé). Notez bien l'emplacement du havre naturel qu'on a prolongé d'une jetée*. Les pêcheurs, depuis toujours, recherchent de tels avantages pour abriter leurs chaloupes. Et leur génie a adopté, selon l'endroit et la topographie, un visage complètement différent. Ainsi de Pointe-Saint-Pierre, ce plateau bas de l'extrémité de la baie que la route moderne surplombe. La petite île Plate en garde l'accès fidèlement.

Sur les terrasses demeurent encore quatre ou cinq résidences, seules vigies et derniers repères d'une histoire fort active. Point St. Peter aurait débuté vers 1770 par un poste qu'y avait établi un nommé Smith: *«cette anse s'ouvre aux vents du Nord et du Nord-Est mais est protégée de tous les autres, plusieurs pêcheurs de la Nouvelle-Angleterre relâchent ici avec des baleinières et deux d'entre elles avec onze hommes ont ramassé 950 quintaux, d'autres vennes plus tard n'ont rien tué, Monsieur Smith opère un comptoir à cet endroit . . .»*, écrivait Charles Robin dans son journal le 30 août 1772.

Plus tard vinrent J. & E. Collas qui donnèrent une impulsion au commerce et à la construction navale. Outre les Jersiais, on trouvait des Écossais à Point St. Peter: Henry Bisset Johnston, les Creighton, Packwood, Alexander, Bond et

Vue du havre de la pointe Saint-Pierre: au centre, à gauche, une barge retenue à son cabestan; à droite, une habitation fort intéressante par l'emplacement de ses deux feux. Époque: 1930.
(Archives publiques du Canada)

Autre vue du havre: notez les bâtiments sur pilotis
et comparez avec l'état actuel des lieux.
(Archives publiques du Canada)

d'autres. Plusieurs «Canadiens» venaient pêcher en saison à Barachois et à Mal Bay, si bien que l'abbé Ferland, en 1811, juge difficile de décider «laquelle des deux langues, anglaise ou française, est dominante». La gravure de Pye, exécutée vers 1865, réunit un nombre impressionnant d'habitations, d'entrepôts, de hangars, des vignots aussi au bout desquels une goélette en construction repose sur ses lisses*. Une photographie du début du siècle nous fait voir en outre plusieurs hangars sur pilotis s'accrochant au rivage rocheux, aujourd'hui miné par l'érosion. Muni de ces documents visuels on peut à loisir recréer la vie débordante qui fut celle de Pointe-Saint-Pierre et flâner en paix dans ce magnifique coin de Gaspésie presque oublié. Le souvenir de Faucher de Saint-Maurice revit sous nos yeux:

«La pointe Saint-Pierre est d'un aspect pittoresque, et vue par un lever de soleil, elle présente un coup d'oeil superbe. À cette époque, une partie de la grève était couverte de vignots échelonnés en gradins, où séchait la morue destinée au Brésil et aux Antilles. De blanches habitations de

pêcheurs, ainsi que des maisons de commerce — parmi lesquelles la plus importante appartient à M. Collas — s'élevaient à l'arrière-plan, tandis qu'au large, le Plateau, petite île fantastique et sauvage, montrait au voyageur ses grottes, ses arches, ses piliers travaillés par le flot. Mais le rayon de soleil qui révéla ce paysage ne permit guère d'en jouir longtemps. À peine entrevu, il se perdait dans notre sillage; car, dès les premières lueurs de l'aube, notre pavillon avait salué celui de la «Canadienne», et le «Napoléon III» prenant sa course dans l'intérieur des terres nous entraînant vers le bassin de Gaspé[4]*.»*

Le fort Prevel et ses environs

Entre la pointe Saint-Pierre et Douglastown, la côte rugueuse et rébarbative n'en a pas moins laissé quelques niches où des pêcheurs-agriculteurs, venus tard au XIXe siècle, ont tenté de survivre. Découvrez par vous-même ces anses minuscules, comme la très belle anse à Brillant, et ces plages restreintes qui s'étendent au pied des falaises; il est facile de rayonner, en vélo ou autrement, de part et d'autre de l'excellente auberge du fort Prevel.

Car, vous ne devez pas manquer ce couronnement gastronomique de votre séjour gaspésien. Les deux auberges, du fort Prevel et du mont Albert, représentent les réussites les plus heureuses du ministère québécois du Tourisme dans la valorisation et l'accessibilité aux ressources originales de la Gaspésie. Quant au fort lui-même, ne le cherchez plus; il s'agissait d'un avant-poste construit en 1939 pour la défense des côtes contre les menaces allemandes. Les baraques furent cédées après la guerre et transformées en ce que l'on voit aujourd'hui.

---

4 Narcisse FAUCHER DE SAINT-MAURICE, *De tribord à babord*, p. 216-217.

Le pétrole dans la région

Dès 1836, des suintements d'huile sont observés et rapportés dans la région de Gaspé. Avec la découverte de Drake en Pennsylvanie vers 1859, commençait l'ère du pétrole et de ses dérivés. L'or noir attirait déjà ses prospecteurs, qui firent bientôt, c'est le cas de le dire, tache d'huile. Dès 1860, pour la première fois au Canada, une nouvelle compagnie, la «Gaspé Bay Mining Co.», entreprend le forage d'un puits sur la rive sud du barachois de la rivière Saint-Jean. Les résultats sont négatifs, de même que ceux d'un autre puits pratiqué dans le bassin de la rivière York. En 1865-1866, la «Gaspé Oil Co.» entreprend le forage du puits Conant; pendant une épreuve de pompage de neuf heures, le puits donne de 25 à 30 barils.

Suivit une accalmie et, en 1889, les sondages reprenaient. Pendant treize ans, 50 puits furent creusés par trois compagnies différentes: International Oil Co., Petroleum Oil Trust, Canada Petroleum Co. Les résultats furent pauvres. Quand le pétrole venait, la source tarissait au bout de quelques jours. Quelquefois le débit se maintenait, mais au rythme de quelques gallons par jour seulement. En 1913, un dernier forage entrepris dans le canton de Malbaie par la «Eastern Canada Co.» ne donna pas de résultats plus heureux. D'autres essais eurent lieu en 1937, puis récemment et de façon systématique par SOQUIP.

De ces premières tentatives de forage, il ne reste plus que des trous partiellement comblés. Dans plusieurs puits, le tubage en bois était encore intact ou, à tout le moins, visible en 1948 (McGerrigle).

Les espoirs suscités par la présence de nombreux suintements de pétrole dans la région incitèrent les gouvernements à entreprendre l'étude géologique de l'est de la Gaspésie et c'est un peu au gré de conclusions des géologues que ces espoirs mouraient ou renaissaient. Dès 1845, le rapport du géologue W. E. Logan mentionnait la présence d'huile dans l'est de la Gaspésie.

À la suite des observations de Logan sur la géologie de la région, les espoirs étaient grands de trouver du pétrole en quantité commerciale. Cependant le manque de connaissances sur la géologie de détail et sur les conditions nécessaires à l'accumulation en sous-sol du pétrole laissait beaucoup de place au hasard. Ainsi on localisait les puits d'après des indices de surface qui ne reflétaient pas nécessairement de bonnes conditions en profondeur. C'était, en grande partie, la présence de nappes d'huile en surface qui guidait les prospecteurs. À ce sujet, il est curieux de noter que les ours et les arbres ont déjà servi à localiser des suintements

Vue des installations de forage de puits dans la région de Gaspé, vers 1865. D'après Thomas Pye. *(Collection: Groupe de recherches en histoire du Québec rural)*

d'huile dans le bassin de la rivière Dartmouth: «Un trait caractéristique de cette région de suintement est que des taches de cette huile apparaissent sur les arbres du voisinage contre lesquels les ours, employant probablement l'huile comme insecticide, se sont frottés après s'être roulés dans les mares d'huile[5].»

---

5 *Church and State papers, 1789*, dans *Rapport de l'archiviste du Quéвec,* 1953-1955, p. 86.

À la toute fin de la campagne de forage 1889-1903, le géologue Ells donne un peu le coup de grâce aux espoirs, déjà déçus, que la région offre quelque possibilité de produire de l'huile en quantité commerciale.

En 1929, W. A. Parks, dans son *Rapport sur le pétrole et le gaz dans la province de Québec,* conclut que «la région est beaucoup plus recommandable au point de vue possibilités pétrolifères qu'Ells l'avait prétendu». Les forages reprirent en 1937, sans grands résultats cependant. Actuellement c'est SOQUIP (Société québécoise d'initiatives pétrolières) qui détient la plus grande partie des droits sur les territoires à potentiel pétrolifère en Gaspésie. Elle y effectue des travaux d'exploration (sismique et forage) afin de préciser la géologie de cette zone et identifier les gisements à valeur commerciale.

La présence d'hydrocarbures (pétrole et gaz) dans les roches sédimentaires qui constituent le sous-bassement rocheux de la région de Gaspé est un indice que la région a déjà été sous le niveau de la mer. En effet, ces hydrocarbures étaient, à l'origine, des algues et de petits animaux marins planctoniques. En mourant, ces organismes se déposaient au fond dans la vase où, sous l'action des bactéries, ils se décomposaient. Les lipides, contenus dans leur protoplasme, donnaient finalement des hydrocarbures.

Depuis la roche-mère où ils se sont formés, les hydrocarbures ont migré vers le haut à travers les interstices des roches, pour s'accumuler dans les roches-magasins. Pour obtenir du pétrole, il faut donc qu'il y ait eu d'abord un milieu où certains organismes ont pu vivre. À la suite de l'accumulation dans le milieu marin de couches de vases et de restes organiques transformés en roches sédimentaires, des plissements ont affecté l'ensemble. Le grand synclinal de la baie de Gaspé est un produit de ces mouvements. Des failles et des plissements un peu plus complexes complètent la structure géologique de la région. D'une certaine façon, ces mouvements ont créé des conditions favorables à la concentration des hydrocarbures dans des poches qu'il faut maintenant localiser.

Douglastown

En 1783 le capitaine Justus Sherwood, ayant eu la charge de repérer de bons sites pour établir des loyalistes, retint celui de Douglastown. Un grand barachois commode fermait l'extérieur de cette baie dont les pentes de faible inclinaison se révélaient propres à l'agriculture. Les développements furent lents: en 1789, le pasteur anglican de passage signale «vingt maisons dont une quinzaine sont habitées. La plupart sont de misérables huttes de pêcheurs. Environ 70 acres de terre ont été défrichées autour des

Grange-étable au fond de la vallée derrière Douglastown. Les traditions variées des occupants se sont fondues harmonieusement dans le creuset agricole de ce doux paysage.

habitations mais il n'y a que quelques rangs de pommes de terre[6].» L'auteur note encore que l'équipage du navire, le *Dido*, fit une pêche variée: plusieurs truites rouges de près de trois livres, de la plie et du flétan de bonne taille.

---

6 Rapport de l'archiviste de la province de Québec 1953-1955, p. 86.

Arrivèrent par la suite d'autres anglophones des îles de Jersey et de Guernesey: les Dobbel, Lehuquet, Esnouf, Simond, Bichard, qui débordèrent aussi à l'anse Saint-Georges et à l'anse au Sauvage. Un bon groupe d'Irlandais, refugiés du naufrage du *Carrick* à Cap-des-Rosiers en 1847, constitua le noyau des catholiques locaux: en 1860, sur les 988 habitants on n'en comptait que 41 qui fussent francophones.

On voit dans le paysage des aménagements particuliers à cette tradition: maisons fraîches, ombragées et retirées des routes. Pour toucher vraiment à la richesse de ces contacts culturels, empruntez la route qui débouche près de l'église St. Patrick et filez droit à l'ouest vers la vallée agricole. C'est un joyau! Parmi d'innombrables, l'un des plus beaux terroirs de la péninsule! Ici, voisinent les grandes traditions d'architecture rurale du Québec, enfermées dans une large vallée. Découvrez vous-même, lentement, la sagesse des implantations, l'orientation des bâtiments, les surprises que recèle chaque bout de chemin, chaque détour. Paisible et loin du temps, la vallée a assimilé l'histoire, et assumé le pays. Elle nous aide à comprendre l'enracinement, la continuité, la fidélité à un patrimoine qu'une conscience collective enfin réveillée reconnaît comme un trésor de vie.

Appendice 1
Publications utiles

Brochures

On peut se procurer la plupart des brochures aux bureaux touristiques du gouvernement du Québec

Guide du Tourisme:
Bas-Saint-Laurent et Gaspésie

Hôtels:
Hôtels du Québec, répertoire des hôtels, motels et maisons de logements. Publication remise à jour annuellement

Camping:
Camping Québec. Publication remise à jour annuellement

Chasse et pêche:
Pourvoyeurs de chasse et pêche pour le Québec. Publication remise à jour annuellement.

Pêche Québec, résumé des règlements de la pêche sportive. Publication remise à jour annuellement.

Auberges de jeunesse:
Les toits de l'Est. Publication remise à jour annuellement.

Les parcs:
Parcs et réserves du Québec, activités et tarifs. Publication remise à jour annuellement.

Attractions et manifestations:
Éphémérides. Publication remise à jour annuellement.

Ponts couverts du Québec.

Sports:
Ski de fond et raquette au Québec. Publication remise à jour annuellement.

Ski Québec. Publication remise à jour annuellement.

Dépliants:

Camping de Carleton-sur-Mer.
Pêche sportive au saumon, rivière Port-Daniel.
Camping Percé.

Appendice 2
Information touristique

L'information touristique peut s'obtenir auprès des organismes suivants:

Gouvernement du Québec
Ministère du Tourisme, de la Chasse et de la Pêche
Direction générale du Tourisme
150, boulevard Saint-Cyrille est
Québec, Canada
G1R 4Y3
Tél.: (418) 643-9873

Salles permanentes d'accueil dans l'est

Québec

12, rue Sainte-Anne
Québec
G1R 3X2
Tél.: (418) 643-2280

Notre-Dame-du-Portage

Route 20
Québec
G0L 1Y0
Tél.: (418) 862-9727

Kiosques saisonniers

Sainte-Luce

Route 132
Québec
G0K1P0
Tél.: (418) 739-9920

Sainte-Flavie

Route 132
Québec
G0J 2L0
Tél.: (418) 775-8042

Direction des parcs

New Carlisle

Rue Principale
C.P. 639
Québec
G0C 1Z0
Tél.: (418) 752-2211

Port-Daniel
C.P. 639
Québec
G0C 2N0
Tél.: (418) 396-2789

Service de la conservation

New Richmond
200, boulevard Perron
Québec
G0C 2B0
Tél.: (418) 392-5875

Chandler
269, rue Commerciale ouest
Québec
G0C 1K0
Tél.: (418) 689-6561

Service de pisciculture

Maria
(étang)
Québec
G0C 1Y0
Tél.: (418) 759-3701

Appendice 3
Cartes topographiques utiles en Gaspésie

Échelle de 1: 250,000, série 1501 Air.

Feuilles NM 19-9, 19-12, 20-7, 20-10.
(Ces quatre cartes couvrent la Gaspésie en entier)

Échelle de 1: 50,000

Feuille 22 B/1	**De Escuminac à Guité**
Feuille 22 A/4	**De Maria à Saint-Siméon**
Feuille 22 A/3	**De Bonaventure à Shigawake**
Feuille 22 A/2	**De Port-Daniel à Newport-Ouest**
Feuille 22 A/7	**De Newport à Grande-Rivière-Ouest**
Feuille 22 A/8	**De Grande-Rivière à White Head**
Feuille 22 A/9	**De Percé à l'anse aux Loups-Marins**
Feuille 22 A/16	**Douglastown**

Coût: $1,50 le feuillet

On peut se procurer ces cartes au Ministère de l'Énergie, des Mines et des Ressources Canada, dans ses comptoirs de vente de Québec et de Montréal ou à l'Université du Québec à Rimouski.

Par la poste

Bureau des cartes du Canada
615, rue Booth
Ottawa
Ontario
K1A 0E9

(Ajoutez $0,50 par commande pour les frais de poste.)

Appendice 4
La flore et la faune

Les barachois: milieu très changeant où les organismes doivent s'adapter à des variations constantes du niveau de l'eau (marées) et de la salinité. On y rencontre des plages sablonneuses et des fonds vaseux. Beaucoup d'organismes, en particulier des plantes, sont installés sur le haut de plage, c'est-à-dire au delà de la ligne des marées. D'autres, autant plantes qu'animaux, sont implantés ou vivent sur l'estran, cette zone que le jeu des marées découvre et recouvre à deux reprises chaque jour. Notez que ces organismes peuvent se rencontrer sur toutes les plages sablonneuses et dans les milieux vaseux qui bordent la côte.

On peut trouver:

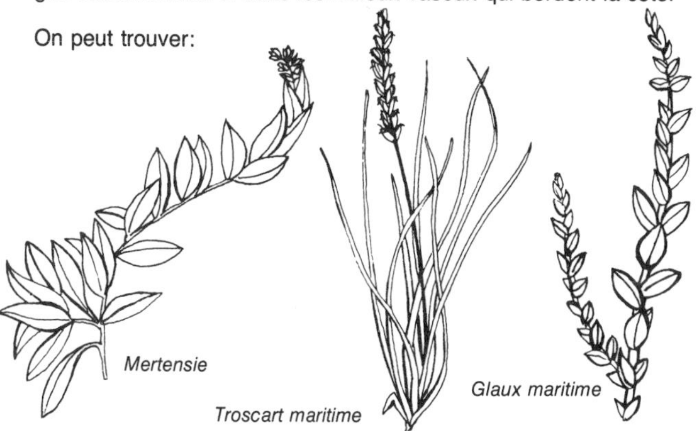

Mertensie *(mertensia maritime)*
Plante bleuâtre, charnue et rampante, elle forme d'épaisses rosettes sur le sable. Sa tige (10-40 cm) porte des feuilles ovales et se garnit à l'été de magnifiques fleurs bleues.

Troscart maritime
Une hampe robuste, presque cylindrique (10-70 cm) porte des feuilles semi-cylindriques et se termine par un épi allongé. La floraison est estivale.

Glaux maritime
Cette plante à tige simple ou diffuse (5-30 cm) portant des feuilles ovales ou linéaires, croît en touffe demi-sphérique posée à plat sur le sol. À l'été, elle donne des fleurs rosées.

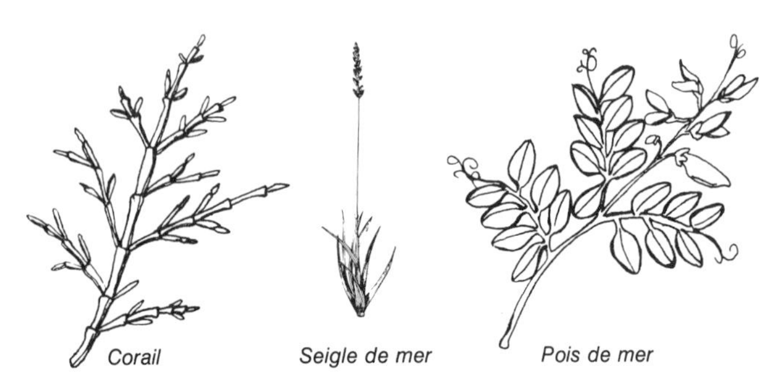

Corail — Seigle de mer — Pois de mer

Corail *(salicorne)*
Cette plante verte, tournant au pourpre, joue un rôle important dans la fixation des sables. Elle contribue à retenir le sol au-dessus du niveau des marées et permet ainsi à d'autres plantes de s'installer. Sa tige (10-20 cm) porte une succession d'étages feuillus. La salicorne est comestible, on peut la mariner dans le vinaigre et sa forte teneur en iode lui donne un goût agréable.

Seigle de mer *(élyme des sables)*
Cette graminée à tige robuste (60-120 cm) se termine par un épi compact. C'est le blé dont parle Cartier; on peut d'ailleurs en tirer une farine et, dans certaines régions nordiques, on s'en sert comme fourrage. Les feuilles allongées peuvent être tressées. La plante fleurit en été.

Pois de mer *(gesse maritime)*
Cette plante rampante, à tiges molles (20-60 cm) et à racines profondes, donne des fleurs pourpres. Son fruit est une gousse (3 à 8 cm) comestible enfermant des petits pois; Cartier en parle dans ses récits. Comme le seigle de mer, auquel il est d'ailleurs associé, le pois de mer joue un rôle important dans la fixation des sables.

Caquillier édentulé

Caquillier édentulé
Cette plante buissonnante (10-30 cm) donne, en été, des fleurs blanches ou pourpres et des petits fruits.

Manche de couteau, rasoir

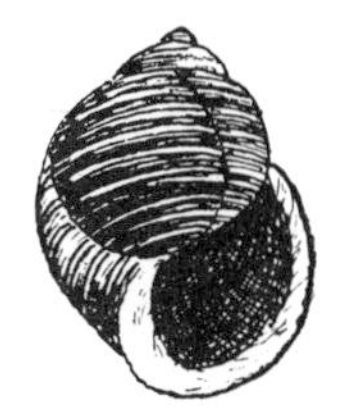

Bigorneau comestible

Sabline faux-péplus

Sabline faux-péplus
Elle plonge profondément ses racines dans le sol et sa tige (5-20 cm) ramifiée porte des feuilles très épaisses. En été, elle donne quelques fleurs blanches.

Manche de couteau, rasoir *(ensis directus)*
La coquille allongée, légèrement courbée, à bords coupants et de couleur blanche est recouverte d'un épiderme allant du vert brunâtre au vert violacé. Ce mollusque vit enfoui dans le sable des baies et des estuaires, dans la zone des marées. Longueur: 12 à 20 cm.

Bigorneau comestible
Très commun sur les rochers, les plages de sable et les estrans vaseux, on le retrouve jusqu'au niveau de la marée haute. Des bandes noires en spirale rehaussent le fond gris à gris brunâtre de l'épaisse coquille. Longueur: 2 à 4 cm.

Oursin commun

Oursin commun
Ce «hérisson de mer» se rencontre presque partout sur le littoral. On le surprend, quand la mer est basse, dans les petites dépressions qui retiennent l'eau salée. Il a la forme d'une coupole surbaissée, toute hérissée d'épines vertes, d'où son surnom. On en trouve d'autres, de couleur blanchâtre, qui sont dépourvus d'épines. Diamètre: 2 à 8 cm.

Moule bleue

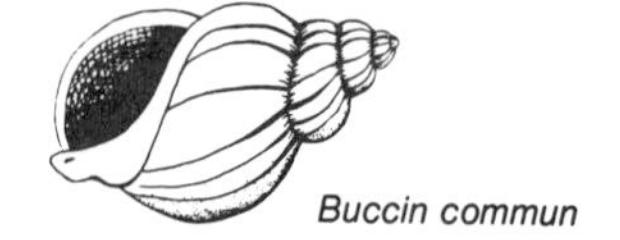

Buccin commun

Moule bleue *(bec de corneille, en Gaspésie)*
Son habitat s'étend entre la zone des marées et des profondeurs de plusieurs brasses, les rochers affleurants, les quais et les pilotis en sont couverts. La coquille est noir bleuâtre avec une petite partie, le périostracum, luisante comme un vernis. Des lignes de croissance apparaissent sur l'extérieur. L'intérieur est blanc crème avec un rebord bleu violacé foncé. Longueur maximale: 10 cm.

Moule géante *(modiole du Nord)*
Grosse coquille robuste, de coloration blanchâtre ou crayeuse, recouverte d'une couche écailleuse, le périostracum, brun noirâtre. Longueur maximale: 15 cm.

Buccin commun *(bourgot, bourlicoco)*
Il vit entre la ligne des marées basses et des profondeurs de plus de 15 brasses. Il habite une épaisse coquille spiralée d'un gris crayeux à jaunâtre. On le trouve souvent échoué sur les plages et, au printemps, les pêcheurs s'en servent parfois comme boëtte. Longueur maximale: 9 cm.

Mye commune *(coque, grosse palourde)*
On la retrouve partout dans les baies et les estuaires. Elle s'enfonce dans le sable ou la vase de l'estran et son trou de respiration permet aux cueilleurs de la repérer. Un épiderme de couleur gris pâle ou jaunâtre recouvre sa coquille blanche. Longueur: 2 à 12 cm.

Bécasseau semi-palmé

Bécasseau semi-palmé
Un des plus petits oiseaux des rivages, il fréquente les grèves sablonneuses, les vasières, etc. Ses pattes légèrement palmées sont noires et son ventre est blanc. Le dessus de sa tête et ses ailes se confondent avec la couleur du sable mouillé alors que le contour des plumes est jaunâtre. Son bec droit et effilé lui permet de pécorer dans le sable à la recherche de petits crustacés et de mollusques. Longueur: 12 à 18 cm.

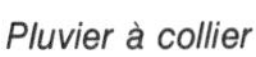

Pluvier à collier

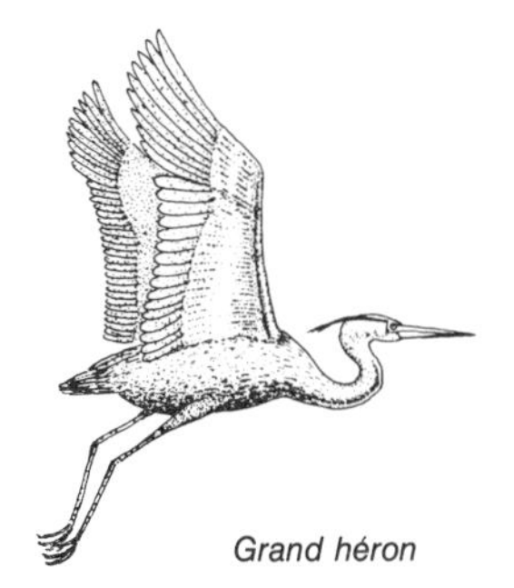

Grand héron

Pluvier à collier
Un plumage brun sur le dos et la tête, une bande plus foncée à la poitrine, une lisière contrastante entre le bec et les yeux et une ligne foncée au-dessus du front blanc, voilà l'allure extérieure de ces petits oiseaux qui courent hâtivement sur les rivages à la recherche de leur pitance.

Grand héron
Cet oiseau majestueux se voit souvent dans le barachois de Carleton. On le retrouve ailleurs, dans les baies, là où l'eau est peu profonde, dans les vasières et les marais. Ce plus grand de nos échassiers porte un plumage blanc à la tête, devenant bleu vers le bas. Une bande noire recouvre sa tête à partir de l'oeil et se transforme en une huppe vers l'arrière. Longueur: plus d'un mètre.

Balane commun
Cet organisme de couleur blanchâtre ressemble à un petit volcan. Il abonde sur les rochers où il forme de véritables colonies. On le retrouve fixé sur les surfaces rocheuses à partir du niveau de la marée haute jusqu'à des profondeurs de 5 brasses. Diamètre: quelques cm.

Patelle
Ce petit mollusque comestible s'accroche solidement aux rochers qui affleurent en surface. Il ne dépasse pas 5 cm de long et se nourrit d'algues.

Fucus
Ces algues, fixées aux rochers et aux pierres qui jonchent l'estran, fournissent une protection contre l'assèchement à une nombreuse faune nageuse quand la mer est basse. Les petites poches d'air qui éclatent sous nos pas permettent à ces longs rubans qui constituent la plante de flotter à marée haute.

Les falaises rocheuses

Les falaises rocheuses du littoral, en particulier les falaises de l'île Bonaventure et du rocher Percé, sont des lieux de nidification fréquentés par de nombreuses espèces ailées.

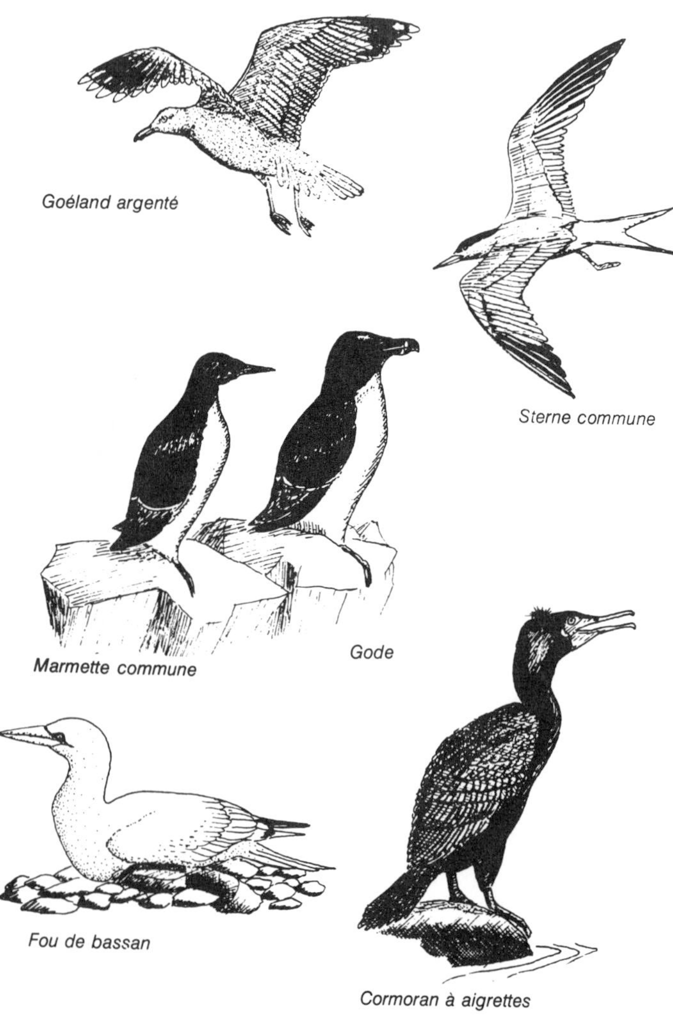

Glossaire

Ajoncs
n. m. Arbrisseaux des sols siliceux. Confondu avec joncs (joncacées).

Arrime
n.f. Rangée de morues sèches disposées en pile circulaire à différentes étapes du séchage.

Barachois
n. m. Bancs de sable entourant une lagune où les pêcheurs échouent ou abritent leurs barques.

Barre
n.f. Banc de sable allongé, édifié à l'entrée des estuaires, au contact des eaux douces et des eaux marines.

Billochet
n. m. Petite bille de bois à double encoche servant à retenir et à séparer les pieux des clôtures.

Boëtte
n.f. Morceau de poisson servant d'appât, piqué sur les hameçons.

Brasse
n.f. Unité de longueur utilisée en milieu maritime: 1 m 83 ou 6 pi environ.

Chafaud
n. m. Installations portuaires ou de pêche telles que quais, tables, supports, construits en échafaudage de bois.

Chemin de halage
n. m. Route forestière praticable l'hiver pour les convois de bois tirés par des animaux.

Encornet
n. m. Nom du calmar, mollusque marin à nageoire triangulaire mesurant près de 50 cm.

Étrave
n.f. Partie avant de la quille d'une embarcation ou d'un navire.

Fascine
n.f. Assemblage de branches tressées formant une barrière disposée en forme de parc dans une zone de marée pour capturer l'anguille, le hareng, etc.

Gaspésienne
n.f. Bateau de pêche mesurant environ 15 mètres, au centre bas et évasé, à la poupe rectangulaire.

Gau
n. m. Estomac de la morue. On prétend que la morue possède la faculté de le retourner et d'en rejeter le contenu. Les pêcheurs le considèrent comme un mets de choix.

Goémon
n. m. Nom donné au varech, algues brunes et vertes recueillies sur les plages et servant d'engrais pour les terres.

Grave
n.f. Grève ou plage caillouteuse dénuée de végétation qui servait pour étaler et sécher la morue.

Gréement
n. m. Ensemble des agrès, ustensiles, outils d'un navire, d'un pêcheur.

Habiller la morue
Préparer la morue pour sa conservation: l'étêter, l'ouvrir, la vider.

Jetée
n.f. Chaussée de pierre ou de bois remblayée qui s'avance dans la mer pour protéger un port contre les vagues.

Lisse
n.f. Barres de glissement ou rails placés sous la coque d'une embarcation qu'on lance à l'eau ou retire de l'eau.

Margot-Margau
n. m. Nom donné au gode, oiseau de mer noir et blanc qui fréquente le golfe Saint-Laurent.

Marne
n.f. Argile fortement calcaire utilisée pour amender les sols.

Molue
n.f. Ancienne graphie de morue.

Nigogue-Nigog
n.f. Foène ou harpon aux mâchoires garnies de crocs servant à pêcher saumon, anguille, carpe, etc.

Palangre
n.f. Longue corde à laquelle sont attachées de courtes lignes munies d'hameçons.

Plancton
n. m. Ensemble des organismes microscopiques ou de petite taille en suspension dans l'eau.

Platier
n. m. Zone de rivage plat correspondant à l'estran ou à la portion envahie à marée haute.

Plie
n.f. Carrelet ou sole, poisson plat à la chair délicate.

Quintal
n. m. Unité de mesure de masse correspondant à 100 kilogrammes. La morue sèche se pesait au quintal.

Radoub
n. m. Réparation de la coque d'un navire.

Raver
v. Frayer, déposer ses oeufs. Se dit du hareng, du capelan qui vient frayer près des rives.

Rets
n. m. Filets pour attraper le poisson.

Seine-Senne
n.f. Filet de pêche traîné sur les fonds sablonneux.

Serfs
n. m. Personne dépendant d'un maître, d'un seigneur.

Son
n. m. Enveloppe des grains de céréales. Par extension et analogie: le bran de la scie ou sciure de bois.

Time
(de l'anglais *team*). Couple de chevaux.

Tourelle
n.f. Colonne rocheuse que l'action des vagues a isolée de la terre ferme.

Vigneau
n. m. Claies de branchages élevées de terre sur lesquelles on fait sécher la morue.

Bibliographie

Géographie

BLANCHARD, Raoul. 1935. *L'Est du Canada français, province de Québec,* vol. I. Masson, Paris et Beauchemin, Montréal. 364 p.

BUREAU D'AMÉNAGEMENT DE L'EST DU QUÉBEC. 1966. *Atlas régional du Bas-Saint-Laurent, de la Gaspésie et des Îles-de-la-Madeleine*. B.A.E.Q., Québec. 68 cartes.

CAILLEUX, André. 1976. *Géologie générale, Terre-Lune-Planètes*. Masson, Paris et Fides, Montréal. 346 p.

DIONNE, Jean-Claude. 1977. «La mer de Goldtwaïth au Québec», *Géographie physique et Quaternaire,* vol. XXXI, nos 1-2. Les Presses de l'Université de Montréal.

K.-SÉGUIN, M. et André CAILLEUX. 1976. *L'Est du Canada: Basses Terres centrales du Saint-Laurent, Appalaches, Bouclier précambrien dans le Nord-Ouest du Québec et le Nord-Est de l'Ontario (Provinces de Grenville et du Lac Supérieur)*. Masson, Paris et Edisem, Québec. 175 p. (Coll. Guides géologiques régionaux)

MC GERRIGLE, H.W. et W.B. SKIDMORE. 1967. *Carte géologique de la Péninsule de Gaspé*. Ministère des Richesses naturelles, Québec. (no 1642)

MC GERRIGLE, H.W. 1968. *L'Histoire géologique de la région de Percé*. Québec, M.R.N. (Coll. Géologie pour Tous, no 2)

Les Amérindiens: archéologie préhistorique et ethno-histoire

BARRÉ, Georges. 1975. *Cap-Chat (Dg-Dq-1) un site du sylvicole moyen en Gaspésie*. Ministère des Affaires culturelles, Québec. 63 p. (Les Cahiers du patrimoine, no 1)

CHAPDELAINE, Claude (éditeur). 1978. «Images de la Préhistoire du Québec», *Recherches amérindiennes au Québec,* vol. VII, nos 1-2.

CREVEL, Jacques et Maryvonne. 1970. *Honguedo ou l'histoire des premiers gaspésiens*. Garneau, Québec. 220 p.

DENYS, Nicolas. 1672. *Description géographique et historique des costes de l'Amérique septentrionale. Avec l'histoire naturelle du Païs*. Claude Barbin, Paris. Réédition: William F. Ganons, Toronto, The Champlain Society. 1908.

FLEURY, Jean-Marc. 1974. «La préhistoire québécoise», *le magazine Québec Science,* vol. 12, no 10, juin: pp. 10-16.

GRAY, Viviane (editor). 1976. «Micmac People», *TAWOW,* vol. 5, no 2, 56 p.

LECLERCQ, Chrestien (récollet). 1691. *Nouvelle Relation de la Gaspésie qui contient les Moeurs et la Religion des Sauvages Gaspésiens Porte-Croix, adorateurs du Soleil, et d'autres Peuples de l'Amérique Septentrionale, dite le Canada.* Amable Auroy, Paris. 572 p. (Réimpression: les librairies Bibliophiles du Canada et Osiris, Montréal 1973)

SOCIÉTÉ D'ARCHÉOLOGIE PRÉHISTORIQUE DU QUÉBEC. 1970. *Activités de la S.A.P.Q. 1969: Pointe-aux-Buissons, La Martre, Mandeville.* S.A.P.Q., Montréal. 94 p. et 100 figures.

TRIGGER, Bruce. 1976. *The Children of Aataensic I. vol. 1, a History of the Huron People to 1660.* McGill-Queen's University Press, Montréal and London. XXIII, 453 p.

WALLIS, Wilson D. 1959. *Historical Background of the Micmac Indians of Canada.* Canada, Department of Northern Affairs and National Resources. pp. 42-63 (From National Museum of Canada, Bulletin no. 173, Contributions to Anthropology, 1959)

Éthnographie, histoire et traditions populaires

ARSENAULT, Urbain. 1976. *Patrimoine gaspésien, Baie des Chaleurs,* Éditions Leméac, Montréal, 150 p.

BARTHE, J.-G. 1885. *Souvenirs d'un demi-siècle ou mémoires pour servir à l'histoire contemporaine*. Chapleau et fils, Montréal. 482 p.

BERNARD, Antoine. 1925. *La Gaspésie au soleil*. Clercs de Saint-Viateur, Montréal.

CHOUINARD, Édouard P. 1906. *Histoire de la paroisse de Saint-Joseph de Carleton,* 1755-1906. Imprimerie générale, Rimouski. 111 p.

CLARKE, John Mason. 1913. *The heart of Gaspé, sketches in the Gulf of Saint Lawrence*. Macmillan, New York. 292 p.

COLLABORATION. 1960. *Bonaventure 1760-1960*. Comité du Bicentenaire, Bonaventure. 398 p.

FAUCHER DE SAINT-MAURICE, Narcisse. 1975. *De Tribord à babord. Trois croisières dans le Golfe Saint-Laurent*. (Édition originale 1877). Réédition: Éditions de l'Aurore, Montréal. 282 p. (Coll. Le Goglu)

LANGELIER, J.-C. 1855. *Esquisse sur la Gaspésie*. J. Dussault, imp. Québec. 88 p.

LEE, David. 1972. «Les Français en Gaspésie de 1534 à 1760». *Cahiers d'archéologie et d'histoire no 3,* Ottawa, ministère des Affaires indiennes et du Nord. pp. 26-68. (Coll. Lieux historiques canadiens)

LEMAY, Hugolin. 1916. *De Québec à Percé sur les pas des Récollets*. Imp. Godin-Ménard, Montréal, 36 p.

LEMOYNE, James McPherson. 1878. *The Chronicles of the Saint Lawrence*. Dawson Bros, Montréal et Québec. 380 p.

MACWIRTHER, Margaret Grant. 1919. *Treasure Trove in Gaspé and the Baie des Chaleurs . . .* Telegraph Printing Co., Québec. 217 p.

MINISTÈRE DES AFFAIRES CULTURELLES DU QUÉBEC. 1975. *Pabos, site archéologique historique*. Direction générale du Patrimoine, Québec. (Coll. Dossiers, no 8, M.A.C.)

MINVILLE, Esdras et collaborateurs. 1946. *Pêche et chasse*. Éditions Fides, Montréal. 580 p. (Coll. Études sur notre milieu)

PELLAND, Alfred. 1917. *La Gaspésie, esquisse historique. Ses ressources, ses progrès, son avenir*. Ministère de la Colonisation, des Mines et des Pêcheries, Québec. 276 p.

POULIOT, J. Camille. 1934. *La Grande aventure de Jacques Cartier*. Éditeur officiel, Québec. 324 p.

PY, Thomas. 1866. *Canadian Scenery, district of Gaspé*. John Lovell imp., Montréal, ill. 55 p.

REVUE D'HISTOIRE DE LA GASPÉSIE devenue REVUE D'HISTOIRE ET DE TRADITIONS POPULAIRES DE LA GASPÉSIE. 1962. (Vol. I à XVI) Source importante pour connaître la Gaspésie, son histoire, ses traditions, la Revue a publié plusieurs récits, témoignages et entrevues.

RIOUX, Marcel. 1961. *Belle-Anse*. Deuxième édition Canada, Musée national du Canada, bull. no 138. 125 p.

ROUILLARD, Eugène. 1899. *La colonisation dans les comtés de Témiscouata, Rimouski, Matane, Bonaventure, Gaspé*. Ministère de la Colonisation, Québec. 158 p.

ROY, Carmen. 1949. *Contes populaires de la Gaspésie*. Éditions Fides, Montréal. pp. 105-128. (Coll. Archives de Folklore, no 4)

ROY, Carmen. 1962. *La littérature orale en Gaspésie*. Canada, Musée national du Canada, bulletin no 134, Ottawa.

ROY, Charles. 1947. *Percé, sa nature, son histoire,* [s.e.], Percé. 178 p.

Flore et faune

BONSFIELD, E.L. 1964. *Coquillages des côtes canadiennes de l'Atlantique*. Musée national du Canada, Ottawa. 89 p.

CAYOUETTE, R. et J.L. GRONDIN. 1972. *Les oiseaux du Québec*. Société zoologique du Québec Inc., Orsainville, Québec. 117 p.

DUCHESNAY, E.J. 1972. *Les mammifères du Québec*. Éditions Hurtubise, Montréal. 123 p.

DUCHESNAY, E.J. 1966. *Les poissons du Québec*. Éditions de l'Homme, Montréal. 47 p.

GODFREY, W.E. 1967. *Les oiseaux du Canada,* Musée national du Canada, bulletin no 203, Ottawa. 506 p.

LAMOUREUX, Gisèle et collaborateurs. 1975. *Plantes sauvages printanières*. Éditeur officiel du Québec, Québec. 252 p.

MARIE-VICTORIN, F. 1964. *Flore laurentienne,* Presses de l'Université de Montréal, Montréal. 925 p.

MÉLANÇON, Claude. 1963. *Percé et les oiseaux de l'île Bonaventure*. Éditions du Jour, Montréal. 96 p.

MÉLANÇON, Claude. 1973. *Les poissons de nos eaux*. Éditions du Jour, Montréal. 455 p.

MINISTÈRE DES TERRES ET FORÊTS. 1974. *Petite flore forestière du Québec*. Éditeur officiel du Québec, Québec. 216 p.

ROUSSEAU, C. 1974. *Géographie florestique du Québec-Labrador*. Les Presses de l'Université Laval. 799 p. (Travaux et documents du centre d'études nordiques, no 7)

SCOGGAN, H.J. 1950. *The flora of Bic and the Gaspé Peninsula*. National Museum of Canada, bulletin no 1115 biological series no 39, Ottawa. 399 p.

Collection des Guides pratiques

Déjà parus

Guide pratique de correspondance et de rédaction

Rivière-du-Loup et son portage
Itinéraire culturel

La Gaspésie, de Grosses-Roches à Gaspé
Itinéraire culturel

À paraître

Le Québec sur le pouce

Parois d'escalade au Québec

Les Îles-de-la-Madeleine
Itinéraire culturel

La Basse Côte Nord
Itinéraire culturel

Voir le Québec

Voici une série de publications des plus alléchantes pour le touriste qui veut compléter ses photographies de voyage. Il s'agit de monographies photographiques comprenant des jeux de 12 diapositives couleurs accompagnées d'une brochure explicative en langue française et en langue anglaise. Le tout se présente dans une pochette de vinyle, format de poche.

L'Assemblée nationale du Québec

Vues de l'édifice, de son architecture et de quelques oeuvres d'art qui rappellent l'histoire de la nation.

La place Royale à Québec

Vues de la place et d'édifices composant cet historique ensemble d'architecture urbaine.

Le parc de Métis

Vues du célèbre jardin botanique, aux plantations en partie exotiques, que l'on dit unique en Amérique du Nord.

Les Sentiers de la nature au Jardin zoologique de Saint-Félicien

Vues de quelques espèces animales et des sentiers de la nature reconstituant le mode de vie des Indiens.

Le carnaval de Québec

Vues des symboles du carnaval, des diverses activités et du célèbre défilé de nuit.

Le parc de la Mauricie

Vues de paysages de la forêt québécoise dans ce parc ouvert au tourisme, au nord de Trois-Rivières.

Éditeur officiel du Québec
1283, boul. Charest ouest
Québec
G1N 2C9

Trois-Rivières:
418, rue des Forges
G9A 2H3
Tél.: 375-4811

Hull:
662, boulevard
Saint-Joseph
J8Y 4A8
Tél.: 770-0111

Québec:
Place Sainte-Foy
G1V 2L1
Tél.: 643-8035

Centre administratif «G»
rez-de-chaussée
G1R 4Y7
Tél.: 643-3895

Montréal:
Place Desjardins,
150, rue Sainte-Catherine ouest
H5B 1B8
Tél.: 873-6101

Achevé d'imprimer en juin 1978,
sur les presses de la Librairie Beauchemin Ltée, à Montréal.

La composition typographique a été réalisée
par la maison Caractéra Inc., à Québec.